Weitere Bücher, die sich mit biblischer Prophetie beschäftigen:

Arnold G. Fruchtenbaum:
Handbuch der biblischen Prophetie.
Umfassende Gesamtschau der prophetischen Aussagen.
Gebundene Ausgabe. 368 Seiten. Best.-Nr. 15 374

Arnold G. Fruchtenbaum:
Handbuch der biblischen Prophetie II.
Das Tauschenjährige Reich.
Gebundene Ausgabe. 192 Seiten. Best.-Nr. 15 385

Hal Lindsey: *Die Entrückung.*
Eine Frage, die viele Christen beschäftigt, ist die Frage nach der Entrückung.
Gebundene Ausgabe. 192 Seiten. Best.-Nr. 15 371

Hal Lindsey: *Die Verheißung.*
Jesus der Messias.
Taschenbuch. 160 Seiten. Best.-Nr. 15 515

Hal Lindsey: *Hoffnung statt Angst.*
Detaillierte Stellungnahme zu aktuellen endzeitlichen Phänomenen.
Taschenbuch. 64 Seiten. Best.-Nr. 15 623

Klaus Gerth: *Der Antichrist kommt.*
Die 80er Jahre – Galgenfrist der Menschheit?
Taschenbuch. 208 Seiten. Best.-Nr. 15 510

Klaus Gerth: *Endzeit – Krise und Ausweg.*
Frieden mit Gott – der einzige Ausweg aus der Krise.
Gebundene Ausgabe. 176 Seiten. Best.-Nr. 15 372

HAL LINDSEY/CAROLE C. CARLSON

Alter Planet
Erde
wohin?

Im Vorfeld
des Dritten Weltkriegs

VERLAG SCHULTE + GERTH, ASSLAR

Dieser Band ist die vollständige Ausgabe der Paperback-Ausgabe von »Alter Planet Erde wohin?«, deren Originalausgabe in den USA unter dem Titel »The Late Great Planet Earth« im Verlag Zondervan, Grand Rapids, erschienen ist.

© 1970 by Zondervan Publishing House, Grand Rapids, Michigan
© der deutschen Ausgabe 1971 beim
Verlag Hermann Schulte Wetzlar
© 1980 bei Verlag Schulte + Gerth Aßlar
Aus dem Amerikanischen von Martin Schneider

ISBN 3-87739-562-7
Best.-Nr. 15562

1. Auflage   1.- 25. Tausend 1974
2. Auflage   26.- 45. Tausend 1975
3. Auflage   46.- 57. Tausend 1977
4. Auflage   58.- 62. Tausend 1978
5. Auflage   63.- 66. Tausend 1979
6. Auflage   67.- 70. Tausend 1979
7. Auflage   71.- 75. Tausend 1980
8. Auflage   76.- 80. Tausend 1980
9. Auflage   81.- 84. Tausend 1981
10. Auflage   85.- 89. Tausend 1982
11. Auflage   90.- 94. Tausend 1983
12. Auflage   95.- 98. Tausend 1984
13. Auflage   99.-102. Tausend 1985
14. Auflage 103.-105. Tausend 1986

Umschlaggestaltung: Egon Schwarz / Anselm Schönfeld
Umschlagfoto: Diese Aufnahme der Erde zeigt den größten Teil von Afrika, die Arabische Halbinsel, den Nahen Osten, Italien, Spanien und das Mittelmeer. Aufnahme von Apollo 11 auf dem Weg zum Mond in einer Entfernung von ca. 200000 km von der Erde. Aufgenommen von der NASA mit einem Objektiv der Firma Carl Zeiss, Oberkochen/Württ.
Druck und Verarbeitung: Elsnerdruck, Berlin
Printed in Germany

EINFÜHRUNG

Dieses Buch handelt von Prophetie – von biblischer Weissagung.

Man erwarte aber bitte im folgenden keine gelehrte theologische Abhandlung. Ich werde vielmehr versuchen, das Thema sehr direkt anzugehen, damit möglichst klar hervortritt, was »Gott denen bereitet hat, die ihn lieben«. Ich behaupte keinesfalls, das Datum des »Jüngsten Tages« errechnen zu können; auch gehöre ich nicht zu denen, die von Zeit zu Zeit mit Frau und Kind in die Berge flüchten, um dort der schrecklichen Dinge zu harren, die kommen sollen. Eines sei jedoch klar herausgestellt: Ich glaube, daß es für die Zukunft Hoffnung gibt.

Man hat uns oft die suchende Generation genannt. Es gibt so viele Probleme in der Welt, in unserem Volk und nicht zuletzt in unserem eigenen Leben, mit denen wir nicht fertig werden. Von woher sollen wir Hilfe erwarten? Wie läßt sich die Wahrheit von bloßer menschlicher Meinung unterscheiden? Wem können wir trauen?

Auf der einen Seite will man uns weismachen, die Lösung aller Schwierigkeiten liege in einer möglichst guten Erziehung und Bildung nach dem Rezept: Man baue mehr und größere Schulen, bilde mehr Lehrer aus und schon habe man eine Jugend, wie man sie sich wünsche. Haben die Studenten keine Probleme mehr? Im Gegenteil. Viele unter ihnen sind unzufrieden, weil ihnen eingetrichtert wird, der einzige Zweck ihres Studiums bestehe darin zu lernen, mit kritischem Geist alles in Frage zu stellen. Sie aber suchen nach konkreten Antworten auf ihre Fragen und Probleme, nach verläßlichen Antworten, nach einem klaren Ziel.

Was sagen uns die Politiker? »Wir wissen, wie die Probleme zu lösen sind. Ihr müßt uns nur wählen, dann werden wir euch den Beweis dafür erbringen!« Hier sei nichts gesagt gegen die Wahl ehrenwerter, kluger Männer in leitende Regierungsämter. Das ist wichtig, äußerst wichtig sogar! Aber sind diese Männer nicht überfordert, wenn man von ihnen verlangt, auf die grundlegenden Probleme und brennenden Fragen des Menschen von heute verbindliche Antworten zu geben?

Von jeher gab es in der Geschichte Menschen, die ihrer Zeit weit voraus waren und beeindruckende Leistungen aufzuweisen hatten. Immer wieder wurden weitsichtige Reformen durchgeführt. Trotzdem löst eine Regierung die andere ab. Herrscher und Beherrschte kommen und gehen; gute Ideen werden durch die Kurzsichtigkeit anderer oft nie verwirklicht. Wissen wir denn überhaupt, ob die Lösungen, die wir suchen auf politischem Wege zu finden sind?

Noch an anderer Stelle sucht der Mensch nach Antworten auf sein Fragen: in der Philosophie, durch Meditation, durch Veränderungen der Umwelt, in den Wissenschaften. Man möge mich bitte nicht mißverstehen. Das alles ist gut, solange die Grenzen nicht überschritten werden. Wenn wir jedoch ganz ehrlich gegen uns selbst sein und unserer intellektuellen Redlichkeit Rechnung tragen wollen, dann müssen wir auch Gott Gelegenheit geben, seine Sicht der Dinge darzulegen.

In diesem Buch versuche ich, selbst soweit wie möglich im Hintergrund zu bleiben und die Propheten Gottes zu Wort kommen zu lassen. Wer sich die Mühe macht zuzuhören, mag hinterher selbst entscheiden, ob er aus dem Gelesenen Folgerungen ziehen will oder nicht.

Hal Lindsey

Wir glauben immer das, was wir glauben wollen.

Demosthenes, 348 v. Chr.

KAPITEL 1

DIE GEHEIMNISVOLLE ZUKUNFT

Der Abend war wie geschaffen für eine Party im Freien. Die Luft war lau, die Zitronenbäume verströmten ihren betäubenden Duft, und die flackernden Lampions warfen buntes Licht auf eine verschwenderisch gedeckte Tafel. Der Geruch von Schmorbraten stieg uns verführerisch in die Nase, und wir warteten gespannt auf das Zeichen des Hausherrn zum Beginn des Mahls. Aber vorerst zeigte sich noch niemand; wir waren allein mit unserem Appetit. Die übrigen Gäste saßen dichtgedrängt in einem engen Kreis im Wohnzimmer zusammen und ließen sich von einem Wahrsager die Zukunft aus der Hand lesen. Einer nach dem andern streckte seine Hände aus und wartete gespannt darauf, was seine Handlinien enthüllten. Alle wußten zwar, daß sie nur Schmeicheleien zu hören bekämen, hofften aber insgeheim dennoch, irgendeine Halbwahrheit über sich zu erfahren. Mit dieser konnten sie dann den Kolleginnen im Büro oder den Freunden in der Skatrunde imponieren.

Der Ursprung des Aberglaubens

So war es von Anfang der Zeiten an. Seit eh und je waren die Menschen von dem Wunsch beseelt, etwas über die Zukunft zu erfahren.

Könige und Sklaven, Reiche und Arme, Mächtige und

Ohnmächtige befragten ihre Hexenmeister und Weisen, Seher und Magier, die Sterne und den Mond. Sie alle versuchten, der Zukunft ein kleines Stückchen ihres Geheimnisses zu entreißen.

Die Astrologie oder Kunst der Sterndeutung stammt aus dem alten Chaldäa, einem Land, das sich rund um den Persischen Golf erstreckte. Die stolzen Könige von Chaldäa, dem späteren Babylon, besaßen ihre eigenen Hofastrologen, bei denen sie sich vor allen Entscheidungen Rat holten.

Der »Vater der Geschichtsschreibung«, der Grieche Herodot, spricht in seiner Beschreibung der rätselhaften Stadt Babylon unter anderem von einem riesigen Stufenturm, von dem aus die Astrologen die Sterne beobachteten. Die Ruinen mehrerer solcher Observatorien, Ziggurate genannt, wurden in unserem Jahrhundert von den Archäologen an der Stelle des alten Babylon wieder ausgegraben. Offensichtlich hatten die Sterndeuter in Babylon einen nicht zu unterschätzenden Einfluß.

Die Pharaonen Ägyptens bezogen ihre Kenntnisse in Astrologie und Magie aus Babylon. Manche Fachgelehrte sind der Ansicht, daß in den ägyptischen Pyramiden bestimmte Geheimlehren der Astrologie sinnbildlich dargestellt sind.

Auch in späteren Zeiten waren Männer in hoher Stellung keineswegs gegen den Aberglauben gefeit. Julius Cäsar, Roms größter Feldherr und späterer Kaiser, vertraute in seinen Entscheidungen für die Zukunft ganz seinen Auguren, wie man die römischen Wahrsager nannte. Im alten Rom gab es eine hohe Regierungsbehörde, die nur aus solchen Auguren bestand. Der große römische Redner Cicero gehörte zum Beispiel dieser Instanz an. Es heißt jedoch von ihm, daß er selbst nicht viel von den Weissagungen der Auguren hielt.

Cäsar vertraute außer seinen Auguren noch den Zeichen am Himmel. Seine Mitbürger waren nicht weniger eifrig in der Zukunftsdeutung wie ihr »Vorbild« und widmeten sich der Deutung von Horoskopen.

In den großen Entscheidungen der Geschichte, die oft ganze Völker und Länder nachhaltig beeinflußten, ging man oft seltsame Wege. Manche Entscheidung über Heirat, Reise, Krieg oder Bündnis kam dadurch zustande, daß irgendein Hofastrologe ganz einfach aus den Eingeweiden von Hühnern Gutes oder Schlechtes für die Zukunft herauslas.

Aberglaube heute

Heute nun erlebt die Astrologie eine neue Blüte. An den Zeitschriftenständen tauchen derart viele Schriften und Bücher über die Sterndeutung auf, daß man fast glauben könnte, etwas völlig Neues sei entdeckt worden. Die Schauspielgruppe, die in Amerika das Hippie-Musical »Hair« aufführt, besitzt einen eigenen festangestellten Astrologen, der in persönlichen Fragen berät und die günstigsten Zeiten für das Geschäft voraussagt. Einer der bekanntesten Songs auf dem internationalen Schlagermarkt war das Lied »Aquarius« (»Wassermann«) aus eben diesem Musical.

Sie brauchen nur irgendeine der vielen Illustrierten aufzuschlagen, und ein Vertragsastrologe des Verlages sagt Ihnen voraus, was in der kommenden Woche an Gutem und Schlechtem auf Sie zukommt. In den USA bringen allein 1220 von 1750 Tageszeitungen regelmäßig das Tageshoroskop.

Die Themen der astrologischen Bücher, die allenthalben angeboten werden, sind vielfältig. Da gibt es Titel wie: »Astrologie einfach gemacht«, »Astrologie für die

Praxis«, »Astrologie für den Alltag«, »Astrologie – Dein Helfer in gesunden und kranken Tagen«, »Astrologie – Dein Ratgeber in der Liebe« und so weiter.

Vor ein paar Jahren sang der bekannte Schlagersänger Bing Crosby in einem Film ein Lied, in dessen Text es hieß: »Have you heard . . . it's in the stars . . .?« (»Hast du gehört . . . es steht in den Sternen . . .?«). Diese Worte hatten in der Tat etwas Prophetisches.

Meistens sind die Astrologen vorsichtig in ihren Voraussagen und begnügen sich mit Allgemeinplätzen. Aber hin und wieder wagt sich auch einer weiter vor und versucht, Ereignisse genau vorauszusagen; dabei kann er aber in nicht geringe Verlegenheit geraten; dann nämlich, wenn das vorausgesagte Ereignis nicht eintrifft.

1968 zum Beispiel veröffentlichte eine Zeitschrift einen Artikel von einer berühmten Astrologin, die sich zu den für November des gleichen Jahres angesetzten amerikanischen Präsidentschaftswahlen äußerte. Als Sieger nannte sie Rockefeller, als Vizepräsidenten entweder Ronald Reagan oder John Lindsey. Gewählt wurde jedoch Richard Nixon. Zum Vizepräsidenten wurde Spiro Theodore Agnew ernannt.

Ob die genannten Politiker über den tatsächlichen Ausgang der Wahl enttäuscht waren oder nicht, bleibt dahingestellt. Jedenfalls hat die Astrologin sicher eine Zeitlang nichts mehr von sich in der Öffentlichkeit hören lassen und wird in Zukunft in ihren Prognosen vorsichtiger sein.

Prophetie in unserer Zeit

Der berühmte englische Schriftsteller Horace Walpole (1717–1797) hat einmal gesagt: »Die klügsten Propheten warten erst die Ereignisse ab.« Viele werden hierin wahrscheinlich anderer Meinung sein und unsere zeitgenössischen »Propheten« ins Feld führen. Da gab es zum Beispiel Edgar Cayce, den man Amerikas »schlafenden Hellseher« nannte. Cayce konnte sich in hypnotische Trance versetzen und sprach dann über zukünftige Dinge. Er hielt selbst Vorträge und beriet viele Ratsuchende in persönlichen Angelegenheiten wie Beruf, Gesundheit, Liebe, Ehe und so weiter.

Aber nicht nur persönliche Schicksale wußte er vorauszusagen, auch Ereignisse von weltweiter Bedeutung. So sah er zum Beispiel den Umschwung in den politischen Beziehungen zwischen Japan und den USA vor dem Zweiten Weltkrieg voraus. Er konnte auch manche Schlacht des Zweiten Weltkriegs im voraus angeben und sprach schon damals von den drohenden Rassenkonflikten im Lande. Cayce konnte jedoch nicht nur wahrsagen; auch seine psychischen Fähigkeiten waren ungewöhnlich. So beriet er andere, wie sie ihre seelischen Kräfte steigern könnten. Er lehrte die Traumdeutung, Wege zur Erlangung des Seelenfriedens und vieles andere. Seine Aussagen, die er im hypnotischen Tiefschlaf machte, wurden genau zu Protokoll genommen, katalogisiert und von einer besonderen, eigens ins Leben gerufenen Forschungsgesellschaft treu aufbewahrt. Obgleich Cayce nunmehr bereits dreißig Jahre tot ist, sind seine Bücher in den Leihbüchereien ständig vergriffen, wovon wir uns selbst überzeugen konnten.

Und wie steht es um die Popularität von Jeane Dixon? Ihre Bücher und Artikel wurden zu Bestsellern auf dem amerikanischen Buchmarkt. Sie faszinierte durch ihre geradezu unheimlich anmutende Klarsicht sogar Staatsoberhäupter. Auch Präsident Franklin Delano Roosevelt gehörte zu denen, die Frau Dixon um Rat angingen. Als er auf einem Höhepunkt des Zweiten Weltkriegs völlig ratlos war und zudem von seiner schlechten Gesundheit geplagt wurde, suchte er – wie schon viele andere Staatsmänner vor ihm – bei ihr Hilfe.

Frau Dixon erklärte dem Präsidenten, die USA würden sich schließlich mit Rußland gegen Rotchina verbünden; sie warnte ihn jedoch davor, Rußland etwas zu überlassen, worüber ihm keine Verfügungsgewalt zustehe. Der Präsident hielt sich aber nicht an ihren Rat, denn nicht lange danach schloß Roosevelt mit Stalin auf Jalta einen Geheimvertrag, in dem der Sowjetunion gewisse Gebiete abgetreten wurden, die seither unter sowjetischer Herrschaft geblieben sind.

Manche Voraussage von Frau Dixon ging in geradezu erstaunlicher Weise in Erfüllung. So heißt es, daß sie dem Präsidenten Kennedy vor seiner Reise nach Dallas eine Nachricht zukommen ließ, in der sie ihn vor dieser Fahrt warnte, weil man einen Mordanschlag auf ihn verüben werde. Vor einigen Jahren sagte sie auch das Ergebnis der Präsidentschaftswahlen von 1968 richtig voraus.

Frau Dixon gibt jedoch zu, daß sie keineswegs unfehlbar sei. So sagte sie zum Beispiel voraus, Rotchina werde im Oktober 1958 wegen der Inseln Quemoy und Matsu die Welt in einen Krieg stürzen. Das traf nicht ein. Auch glaubte sie, Walter Reuther (ehemaliger Gewerkschaftsführer der USA, gest. 1970) werde sich 1964 um die Präsidentschaft bewerben. Er bewarb sich nicht!

Geister gehen um

Heute ziehen Spiritismus und Mystizismus viele Menschen aller Altersgruppen in ihren Bann. Kürzlich bekam ich ein hübsch illustriertes Heft in die Hand, das folgende Themen behandelte: Prophetie – Außersinnliche Wahrnehmung – Psychische Experimente – Geistiges Heilen.

12

Im Anzeigenteil konnte man von Mitteilungen aus der Sonnenwelt lesen.

Außerdem wurde ein Buch angeboten, das Klarheit darüber zu geben verspricht, wie man in einer anderen Dimension lebt, die »nicht sehr von der unseren verschieden ist«.

Die Pseudomystik treibt allenthalben ihre Blüten. Berühmte Filmstars und andere Prominente reisen in den Fernen Osten, um »heilige Männer« zu befragen. Der Einfluß des Spiritismus auf unsere Schlager, den Modeschmuck und die Mode selbst ist offensichtlich. Kürzlich erhielt ich eine Einladung von einer indischen Spiritistin, die behauptet, »in allen Lebenslagen« Rat zu wissen. Sie gibt auch eine Garantie (Geld zurück?), den Ratsuchenden von bösen Einflüssen und Unglück befreien zu können.

Auch in religiösen Kreisen »gehen die Geister um«. Ein bekannter, anglikanischer Bischof, der mittlerweile verstorben ist, gab dem Interesse an psychischen Phänomenen neuen Auftrieb, als er behauptete, mit seinem toten Sohn in Verbindung zu stehen.

In Kirchen und Universitäten Amerikas erhalten Medien Einladungen zu Vorträgen. Der Schreiber der kirchlichen Nachrichten in einer Zeitung von Los Angeles berichtete kürzlich: »Von Anfang ihres Bestehens an wurde die spiritistische Bewegung oft verfolgt und verlor auch durch Betrug in den eigenen Reihen viel an Ansehen. Aber heute gewinnt diese Bewegung ein neues Selbstvertrauen.«

In den USA gibt es mehr als 40 Hochschulen, an denen das Fach Parapsychologie gelehrt wird. Das Interesse an diesem Fach wächst ständig und nimmt in dem Maße zu, wie die Astrologie und Wahrsagekunst Anhänger gewinnt.

»Die Zukunft« ist ein großes Geschäft. Die Franzosen allein geben jährlich mehr als 4,5 Milliarden Mark für Hellseher, Zigeunerinnen, Glaubensheiler, Seher und Propheten aus.

In Paris kommen auf 120 Einwohner ein Scharlatan, auf 514 Bürger ein Arzt und auf 5 000 Menschen ein Priester.

Wenn Sie gern Näheres über Ihre Zukunft wissen möchten, dann wenden Sie sich bitte schleunigst an Ihr nächstes Reisebüro und lassen sich eine Reise nach Frankreich buchen. Aber hüten Sie sich vor Krankheit; Sie finden schwerlich einen Arzt. Und achten Sie darauf, daß Sie nicht einen Priester nötig haben, denn Sie werden lange suchen müssen.

Wirklichkeitsflucht

Wir befanden uns im komfortabel eingerichteten Aufenthaltsraum eines Studentenwohnheims an einer großen Universität. Plötzlich bemerkten wir, wie eine sehr attraktive junge Dame den Raum betreten wollte, aber auf einmal in der Tür wie angewurzelt stehenblieb, ihre Blicke wie geistesabwesend durch den Raum schweifen ließ, dann kehrtmachte und wie von Furien gehetzt davonstürzte. »Was um alles in der Welt war nur los mit ihr?« fragte ich meine Begleiter.

»Wahrscheinlich hatte sie das Gefühl, ihr drohe irgendeine Gefahr in diesem Raum«, antwortete mir ein junger Mann. »Wer weiß?«

Aura, Geister, Sterne, Propheten – was für ein großes Interesse haben wir aufgeklärten Menschen doch heute am Unsichtbaren, Unbekannten und an der Zukunft!

In unserer Phantasie sehnen wir uns danach, aus unserem faden Alltag in eine andere Welt zu entfliehen. Man nehme nur die Science-Fiction-Literatur. Hier werden wir fasziniert. Wir lesen von Menschen, die über wunderbare Kräfte der Technik und der Natur verfügen, wie sie zu fernen Sternen fliegen, mit seltsamen, unbekannten Wesen zusammentreffen und neue Welten kolonialisieren. Gebannt sitzen wir vor dem Bildschirm und lassen uns aus der Gegenwart in zukünftige Zeiten entführen.

Im Gespräch mit Tausenden von Personen, besonders mit Studenten aus allen Kreisen unterschiedlichster weltanschaulicher Herkunft fand ich, daß allgemein das Bedürfnis besteht, über die Zukunft Klarheit zu bekommen. Viele hegen die geheime Furcht, daß es für die Menschheit vielleicht überhaupt keine Zukunft mehr geben werde. Sie sind entmutigt und verzweifeln am Leben.

Diese Haltung ist heute weit verbreitet. Betrachtet man die Welt, so gewinnt man den Eindruck, daß sie sich auf einem stark abschüssigen Kurs befindet. Kürzlich stand in einem Nachrichtenmagazin über einem Artikel die bezeichnende Überschrift: »Die Welt sitzt in der Patsche.«

Die Menschen suchen heute nach Antworten auf grundlegende Fragen ihres Lebens. Sie gleichen den jungen Leuten, die in die Buchhandlung gingen, um ein Buch über »die Philosophie der Wahrheit« zu kaufen. Die Verkäuferin war ganz verwirrt und entschuldigte sich vielmals. Sie wollte die Leute nicht entmutigen, erklärte ihnen dann aber, daß sie nach etwas Unmöglichem suchten.

Schade, daß ich nicht in jener Buchhandlung zugegen war. Ich wäre ganz einfach zu einem bestimmten Regal gegangen und hätte das Buch herausgenommen, das schon für viele Generationen von Lesern *die* Philosophie der Wahrheit gewesen ist. Es enthält nicht nur *die* Wahrheit, sondern spricht auch entscheidende Worte über die großen Themen wie Friede, Hoffnung, Liebe – es ist die Bibel.

Die Bibel enthält jedoch im Gegensatz zu den Spekulationen, die man heute oft Prophetie nennt, unmißverständliche und klare Merkmale echter Prophetie. Wir sind in der Lage, in diesem Bestseller Voraussagen zu entdecken, die schon vor Hunderten von Jahren gemacht wurden und sich heute vor unseren Augen erfüllen.

Die Bibel stellt phantastische Behauptungen auf, die nicht erstaunlicher sind als die der zeitgenössischen Astrologen, Hellseher und Wahrsager. Aber die Behauptungen der Bibel haben, was ihre Glaubwürdigkeit angeht, eine wesentlich bessere Grundlage. Die Geschichte selbst hat – wie wir noch sehen werden – den Beweis für ihre Vertrauenswürdigkeit geliefert. Die biblische Prophetie kann zu einer sicheren Grundlage werden, auf der unser Glaube wächst. Außerdem ist es dabei nicht erforderlich, den Verstand zu verleugnen.

Wir glauben, daß die Zukunft nicht hoffnungslos ist, wie schlimm es heute auch in der Welt aussehen mag. Wir glauben, daß alle, die sich ehrlich mit biblischer Prophetie beschäftigen, eine klare und geradezu aufregende Sicht von der Zukunft erlangen können.

Die menschliche Wißbegier durchforscht Vergangenheit und
Zukunft . . . T. S. Eliot

KAPITEL 2

DIE KENNZEICHEN
EINES ECHTEN PROPHETEN

Was würden viele unserer heutigen Propheten sagen,
wenn man forderte, sie sollten für die Wahrheit ihrer
Voraussagen mit ihrem Leben einstehen? Sie könnten
sich keinerlei Irrtum und keinen Fehler, auch nicht in der
kleinsten Nebensächlichkeit, leisten. Solche Propheten
hat es tatsächlich gegeben. Es waren wagemutige Männer, ihrer Glaubensgrundlage ganz sicher und voll starken Vertrauens.

Es existiert auch ein Buch, in dem die Aussagen dieser
Männer treu bewahrt worden sind. Es handelt sich um die
Propheten Israels. Ihre Schriften wurden in der Bibel auf
wunderbare Weise der Nachwelt erhalten.

Der Prüfstein

Dürfen wir jenen alten Propheten Vertrauen schenken?
Wodurch machten sie sich glaubwürdig? In einem der
Bücher des Alten Testaments, dem 5. Buch Mose, weissagte Mose, das Volk Israel werde im Laufe der Zeit
viele Propheten hervorbringen; der letzte und größte
von ihnen werde der Messias sein.

Mose nahm damals ein Problem vorweg. Woran sollten die Leute erkennen, ob ein Prophet, der vorgab, eine
Botschaft Gottes zu verkünden, wirklich ein echter Prophet war oder nur ein Scharlatan? Man stellte Mose die

Frage, die heute noch genauso aktuell ist wie damals: »Woran sollen wir das Wort erkennen, das der Herr nicht geredet hat?« (5. Mose 18,21). Mose antwortete: »Wenn das, was ein Prophet im Namen des Herrn verkündet, nicht eintrifft und nicht in Erfüllung geht, so ist das ein Wort, das der Herr nicht geredet hat« (5. Mose 18,22).

Hier haben wir einen eindeutigen Prüfstein für echte Prophetie vor uns. Eine falsche Voraussage wurde sehr hart bestraft. Es gab also damals für einen Propheten nur zwei Möglichkeiten: Entweder traf die Weissagung zu hundert Prozent ein, oder das Schicksal des Unglücklichen war besiegelt: Er wurde gesteinigt; so bestraften die Juden ihre Kapitalverbrecher (5. Mose 13,1-11).

Ein griechisches Sprichwort besagt, derjenige sei der beste Prophet, der am besten zu raten oder zu mutmaßen verstehe. Hätten die israelitischen Propheten ein solches Ratespiel betrieben, so wäre sie das sehr teuer zu stehen gekommen. Sie hätten die grausamen Folgen zu tragen gehabt und wären eines martervollen Todes durch Steinigung gestorben.

Die israelitischen Propheten waren unbequeme Mahner, wenn es darum ging, offenkundige Mißstände im Volke anzuprangern. Kritik ist nie populär. Echte Propheten erhielten selten die Ehrenbürgerurkunde ihrer Heimatstadt.

Sie machten aber nicht nur Voraussagen über die unmittelbare Zukunft, deren Erfüllung sie noch erlebten, sondern weissagten auch Ereignisse, die in ferner und fernster Zukunft lagen. Oftmals verstanden sie die Bedeutung dessen, was sie prophezeiten, selbst nicht (1. Petrus 1,10-12).

Viele dieser Weissagungen sind Voraussagen ganz exakter geschichtlicher Ereignisse, die bis an das Ende der Zeiten führen.

Das Erstaunliche für jeden, der die prophetischen Schriften eingehend studiert hat, liegt darin, daß viel in alter Zeit Angekündigtes sich heute vor unseren Augen erfüllt. Prüfen wir doch einmal einige der prophetischen Stellen am Wahrheitsmaßstab aller Prophetie: an ihrer Erfüllung.

Erfüllte Nahprophetie

Jeremia, ein Prophet Israels, erging sich nicht in vagen Sprüchen. Vielmehr kündigte er ganz bestimmte Ereignisse an. Der König von Babylon, Nebukadnezar, werde das Südreich Juda einnehmen und zerstören. Diese Worte waren in den Ohren seiner Zeitgenossen alles andere als angenehm, und Jeremia erwartete wohl auch vom Volke keinen Beifall dafür. Das ganze Land sollte zur Einöde werden, und Nebukadnezar sei von Gott dazu ausersehen, dies alles zu vollziehen. Jeremia war nicht der Mann, der seine Sprüche abmilderte, damit sie besser bei den Leuten ankämen. Hart und unerbittlich verkündete er die Zerstörung der Hauptstadt des Reiches, Jerusalem, und viel Not und Elend für seine Bewohner.

Nachdem er dem Volk dieses Bild des Elends vor Augen geführt hatte, weissagte er die Verschleppung aller jüdischen Überlebenden als Sklaven nach Babylon, ja, er gab sogar die Dauer der Gefangenschaft an: Siebzig Jahre! (Jeremia 25,9-11) Damals, als Jeremia diese Ankündigungen machte, klangen sie kaum glaubwürdig, und es war kein Wunder, daß er sich den allgemeinen Unwillen und Zorn seiner Mitbürger zuzog. So kam es, daß einer der religiösen Volksführer, der Tempeloberste Pashur, ihn auspeitschen und in den Block schließen ließ (Jeremia 20,2).

Archäologie und Geschichte bezeugen, daß die Weissagung Jeremias bis auf den Buchstaben in Erfüllung ging. Jerusalem wurde zerstört und seine Bewohner als Gefangene nach Babylon geführt, wo sie siebzig Jahre lang in Gefangenschaft waren.

Warum wohl haben die Juden die Botschaften Jeremias aufbewahrt? Seine Weissagung, die ihre Niederlage und Gefangenschaft ankündigte, mußte doch eine ständige Anklage gegen sie sein. Der Grund liegt darin, daß sich Jeremia als ein echter Prophet erwiesen hatte. Er hatte die von Mose geforderte Prophetenprobe bestanden. Wenn er auch bei seinen Zeitgenossen verachtet war, so wagten sie doch nicht, das, was sich als Gottes Wort erwiesen hatte, zu vernichten. Jeremia war so sehr Unheilsverkünder, daß wir das Wort »Jeremiade« sogar in die deutsche Sprache übernommen haben und darunter eine Wehklage verstehen.

Ein Pfeil in der Rüstung

Einer der weniger bekannten Gottesmänner, die als Propheten auftraten, war Micha. Auch ihm gebührt für seine Prophetensprüche die Note 1. Zu seiner Zeit hielt man allerdings weniger von ihm und war nicht geneigt, ihm eine Ehrenurkunde als Prophet auszustellen. Auch mit ihm ging man recht unsanft um, warf ihn ins Gefängnis und setzte ihn auf Wasser und Brot. Was hatte er verbrochen, daß er so schändlich behandelt wurde? Micha lebte zur Zeit des frommen Königs Josaphat, der im Südreich Juda regierte. Im Nordreich trieb zur gleichen Zeit der König Ahab sein Unwesen.

Als Josaphat einst bei Ahab zu Besuch weilte, versuchte dieser, ihn dazu zu überreden, gemeinsam gegen den syrischen Feind zu ziehen und ihm ein Gebiet zu entreißen, das Ramoth-Gilead hieß.

Ahab rief seine Wahrsager zusammen und befragte sie; wir würden heute sagen: Er ließ sich das Horoskop stellen, ob er den Feldzug unternehmen solle oder nicht. Die Wahrsager redeten dem König stets nach dem Munde und verkündeten auch jetzt einmütig seinen Sieg in der Schlacht.

Aber Josaphat schien dem Rat dieser Propheten nicht so recht zu trauen, trotz ihrer großen Einmütigkeit. Er sagte: »Gibt es hier sonst keinen Propheten des Herrn mehr, durch den wir Auskunft erhalten könnten?« (1. Könige 22,7).

Wir können uns die verdrießliche Miene Ahabs vorstellen, als er antwortete: »Es ist wohl noch einer da, durch den wir den Herrn befragen könnten, aber ich habe nicht gern mit ihm zu tun; denn er weissagt mir niemals Gutes, sondern immer nur Unglück: Micha, der Sohn Jimlas (1. Könige 22,8).

Josaphat bestand jedoch darauf, daß man Micha herbeibringe, und so sandte man einen Kammerdiener nach ihm aus. Als dieser ihn gefunden hatte, versuchte er ihn zu überreden, sich dem Spruch der anderen Propheten anzuschließen und so zu reden, wie es dem König angenehm sei. Aber Micha gab ihm zur Antwort: »So wahr der Herr lebt, nur was der Herr mir eingeben wird, das werde ich verkünden« (1. Könige 22,14).

Er wußte, daß er damit sein Leben aufs Spiel setzte.

Als Micha vor die beiden Könige gebracht worden war, fragte ihn Ahab, ob er ihm rate, den Feldzug gegen Ramoth-Gilead zu unternehmen oder nicht. Micha antwortete spottend: »Ziehe hin, du wirst Glück haben, denn der Herr wird es dem König in die Hand fallen lassen.«

Ahab bemerkte sogleich, daß Micha ihn zum Narren hielt, und befahl dem Propheten, mit der Wahrheit nicht hinter dem Berg zu halten. Nun erwies sich Micha als echter Prophet, denn er zeigte eine Kühnheit, die nur Propheten Gottes eigen ist. Zuerst nannte er alle vierhundert Hofwahrsager Lügner, dann verkündete er den bevorstehenden Tod des Königs in der Schlacht und den Verlust seines Heeres.

Der Oberste der falschen Propheten, der Vorsitzende der königlichen Wahrsager, trat vor und gab Micha einen Backenstreich.

Es erging Micha also nicht besser als Jeremia, den man ebenfalls mißhandelt hatte. Anschließend wurde Micha ins Gefängnis geworfen, und Ahab zog in den Krieg. Zuvor jedoch hatte Micha noch alle zu Zeugen aufgerufen und gesagt: »Wenn du, Ahab, wirklich wohlbehalten heimkehrst, dann hat der Herr nicht durch mich geredet« (1. Könige, 22,28).

Ahab glaubte zwar den Worten Michas nicht, wollte aber dennoch kein Risiko eingehen und verkleidete sich, ehe er in den Kampf zog. Aber einer der feindlichen Bogenschützen spannte seinen Bogen aufs Geratewohl und traf den König an einer winzigen, ungeschützten Stelle seiner Rüstung, zwischen Ringelgurt und Panzer. Micha hatte die Prophetenprobe bestanden. Ahabs Wahrsager hatten gelogen.

Was sagst du, Jesaja?

Einer der größten Propheten Israels war Jesaja, der Sohn des Amoz. Seine glänzenden, beredten, ja poetischen Aussagen entstanden in einem Zeitraum von etwa 60 Jahren (740-680 v. Chr.) unter der Regierung von vier aufeinanderfolgenden Königen des Südreichs Juda.

Bei vielen Gelegenheiten erwies er sich als echter Prophet im Sinne Moses. Eine Begebenheit aus der Zeit des Königs Hiskia möge hier für viele stehen. Im Jahre 710 v. Chr. erschien vor den Toren Jerusalems ein starkes Heer des assyrischen Feindes unter Führung des Königs Sanherib und belagerte die Stadt.

Sanherib war ein listiger Geselle. Er schickte sein »Sprachrohr«, den Großwesir Rabsake, vor die Stadttore und ließ ihn eine großangelegte Propagandarede halten. Er zählte zunächst alle Niederlagen auf, die die umliegenden Städte durch das assyrische Heer erlitten hatten. Das war Gehirnwäsche übelster Art. Alles zielte nur darauf ab, die Belagerten »weich« zu machen und zu einer widerstandslosen Übergabe zu überreden. König Hiskia, der nicht wußte, wie er diesen Einschüchterungsversuchen begegnen sollte, sandte eine Abordnung zu Jesaja mit der Bitte, dieser möge zu Jahwe, dem Gott Israels, beten. Nachdem der Prophet zu Gott um Rat gefleht hatte, verkündete er den baldigen Rückzug des Feindes. Sanherib werde ein Gerücht erreichen, in seinem Lande seien Unruhen ausgebrochen, und er werde deshalb die Belagerung abbrechen. Später werde er in seinem eigenen Land den Tod durch Mörderhand finden. Genauso kam es. Jerusalem wurde eine Niederlage erspart, und König Sanherib wurde von seinen eigenen Söhnen umgebracht (Jesaja 37, 36-38).

Hundert Jahre später

Jesaja kündigte an, dereinst werde Babylon das Reich Juda völlig zerstören und seine Schätze wegführen. Die überlebenden Söhne der königlichen Familie würden als Eunuchen im Palaste zu Babylon leben. Dies erfüllte sich etwa hundert Jahre später aufs Wort (Jesaja 39, 5-7).

23

Jesaja machte ferner die unglaubliche Ankündigung, daß einst das damals mächtige Babylon, das für unbesiegbar galt, erobert und von den Medern so völlig dem Boden gleichgemacht werden würde, daß es nie mehr als Wohnstätte dienen könnte (Jesaja 13, 17-22).

Diese Weissagung erging zu einer Zeit, als die Stadt Babylon zu den sieben Wundern der damaligen Welt gerechnet und als unbezwingbar angesehen wurde; fürwahr eine unglaubliche Behauptung! Aber 150 Jahre später war es dann soweit. Die Meder und Perser belagerten die von Türmen bewehrten Stadtmauern Babylons. Die Aussichten auf einen Erfolg waren zunächst schlecht; die Mauern waren nämlich 50 Meter hoch und so breit, daß fünf Kriegswagen nebeneinander darauf fahren konnten.

Da verfielen die Belagerer auf eine List. Sie dämmten den Euphrat ab, der unter der Mauer hindurch durch die Stadt floß, und drangen durch das trockengelegte Flußbett in die Stadt ein, gerade als der König mit seinen Günstlingen ein Gelage hielt. Es war die Nacht, als ihm an der Wand eine leuchtende Schrift erschien, die lautete: »Mene, Mene, Tekel Upharsin.« Daniel entzifferte sie den trunkenen Höflingen wie folgt: »Gezählt hat Gott die Tage deines Königtums . . . gewogen bist du auf der Waage und zu leicht befunden; zerteilt wird dein Reich und den Medern und Persern gegeben!« In jener Nacht fiel das babylonische Reich in die Hände der Meder (Daniel 5,1-31).

Zweihundert Jahre später

Jesaja weissagte ferner, dereinst werde ein gewisser König namens Cyrus den Wiederaufbau des Tempels zu Jerusalem fördern und die Juden aus ihrer Gefangenschaft in die Heimat zurückziehen lassen (Jesaja 44, 28-45,4). Und wirklich gewährte 200 Jahre nach dem Ergehen dieser Weissagung ein persischer König mit Namen Cyrus den jüdischen Gefangenen seine Gunst und ließ sie in ihre Heimat zurückziehen. Er hatte eigens eine Verfügung erlassen, die ihre Nachbarn anwies, sie mit Gold, Silber und beweglicher Habe zum Aufbau ihres Tempels zu unterstützen. Viele sogenannte Theologen versuchen heute, die Entstehung der Vorhersagen Jesajas und anderer in eine spätere Zeit, das heißt, in eine Zeit nach dem Eintreffen der vorausgesagten Ereignisse zu verlegen. Das verstößt aber nicht nur wider das übereinstimmende Zeugnis der Geschichte jener Zeit, sondern degradiert auch das jüdische Volk zu religiösen Scharlatanen und Betrügern. Die Juden hätten fürwahr keinen Grund gehabt, der Nachwelt jene Schriften der Propheten zu erhalten, wenn sie auf einer Fälschung beruht hätten. Die israelitischen Propheten waren nicht beliebt, wie wir schon gezeigt haben. Zu ihren Lebzeiten galt ihr Wort nur wenig. Und dennoch bewahrte man später ihre Schriften sorgfältig auf und erhielt sie der Nachwelt. Was ist an den Propheten so Besonderes? Die Antwort gibt uns die »Prophetenprobe«, wie sie Mose gefordert hat. Ihre Weissagungen müssen alle in Erfüllung gehen. Man konnte falsche Voraussagen nicht einfach übersehen und zur Tagesordnung übergehen. Auch wir können uns das nicht leisten.

*Die Geschichte lehrt uns, daß der Mensch nichts aus der
Geschichte lernt.*   Hegel

KAPITEL 3

LERNT DER MENSCH AUS DER
VERGANGENHEIT?

Es hat den Anschein, daß der Mensch aus der Geschichte
nichts dazulernt, besonders nicht aus den großen Katastrophen. Den Ersten Weltkrieg hatte man den »letzten
aller Kriege« genannt. Aber kaum eine Generation später wurde ein neuer weltumspannender Krieg von den
gleichen Hauptbeteiligten ausgetragen. Auch heute haben wir nichts Besseres zu tun, als überall in der Welt
neuen Zündstoff anzulegen. Wenn der dann einmal los-
geht, bedeutet das den letzten aller Kriege auf Erden.

Immer wieder in der Geschichte sehen wir, wie sich
der Mensch gegenüber seinen Mitmenschen mit Gewalt
durchzusetzen sucht. Familien kämpfen gegen Familien,
Stämme gegen Stämme, Völker gegen Völker. Die meisten Leute hassen zwar den Krieg; aber es ist nun einmal
Tatsache, daß es auf der Welt, soweit wir es zurückverfolgen können, nur selten Frieden gegeben hat. Man hat bis
heute aus der Geschichte nicht gelernt, daß jeder Krieg
sinnlos ist. Aber nicht nur das. Auch viele andere
Lehren, die man hätte ziehen können, sind unbeachtet
geblieben. Schauen wir uns einmal das Volk Israel an.
Um die Zeitenwende warteten die Juden sehnlichst auf
ihren Befreier, den Messias; in den prophetischen Schriften war er angekündigt. Er sollte die Verheißungen, die
einst an Abraham, Isaak und Jakob ergangen waren, er-

füllen. In jenen prophetischen Aussagen spielt Israel die Rolle des auserwählten Volkes Gottes. Unter der Führung seines Messias sollte es allen Völkern der Erde Frieden und Wohlstand bringen.

Das Paradoxe liegt nun darin, daß ein jüdischer Mann auftrat, der von sich behauptete, er sei der angekündigte Messias. Er erfüllte tatsächlich viele der prophetischen Weissagungen, wurde aber von denen abgelehnt, die ihn als erste hätten erkennen müssen.

Es stellt sich nun die Frage: War dieser Mann wirklich der, für den er sich ausgab? War er wirklich der angekündigte Messias, wie es viele Millionen Menschen seither geglaubt haben? Warum glaubte ihm die Mehrheit der geistlichen Führer seines Volkes nicht? Sie kannten doch die messianischen Weissagungen am besten. Mit Unwissenheit konnten sie sich jedenfalls nicht entschuldigen. Die wahren Gründe für ihren Unglauben sind sehr aufschlußreich und interessant, gerade auch für unsere heutige Zeit.

Zwei Bilder

Die alttestamentlichen Propheten gaben zwei völlig voneinander abweichende Beschreibungen des kommenden Messias. Es waren zwei Bildnisse, gemalt von der Hand Gottes. Sie kamen auf die gleiche Leinwand und erhielten ein und denselben Rahmen.

Stellen wir uns einen Mann vor, der eine Bergkette in der Ferne betrachtet. Im Vordergrund sieht er einen alles überragenden Berggipfel, dahinter einen zweiten. Von seinem Aussichtspunkt aus ist er jedoch nicht in der Lage, das dazwischenliegende Tal zu sehen. So war es mit jenen Menschen. Sie sahen die beiden Bildnisse des Messias vom gleichen Blickwinkel aus. Sie erblickten zwei verschiedene Personen, erkannten jedoch nicht den Zusammenhang zwischen beiden. Sie sahen nicht, daß es nur einen Messias geben sollte, der allerdings in zwei verschiedenen Rollen und zu unterschiedlichen Zeitpunkten auftreten würde.

Die eine Schilderung spricht vom Messias als niedrigem Knecht, der für andere leiden muß und von seinen eigenen Landsleuten abgewiesen wird. Diesem Bild können wir die Überschrift geben: »Der leidende Messias«. Man vergleiche dazu Jesaja 53. Hier haben wir die ausführliche Schilderung des leidenden Gottesknechtes vor uns. Das zweite Bild zeigt den Messias als siegreichen König mit unbegrenzter Macht, der auf der Höhe eines Weltkonflikts auf Erden erscheint und die Welt vor der Selbstvernichtung bewahrt. Er setzt die Juden, die an ihn gläubig geworden sind, zu geistlichen und weltlichen Führern ein und bringt eine Zeit der Gerechtigkeit und des Friedens.

Diesem zweiten Bild kann man die Überschrift geben: »Der triumphierende Messias.« Es ist nicht schwer zu verstehen, daß man diesem Bild den Vorzug gab. Wir finden die entsprechenden Stellen in Sacharja 14 und Jesaja 9,5-7.

Diese beiden verschiedenen Betrachtungsweisen vom Messias erschienen den Rabbinern als ein derartiger Widerspruch in sich, daß etwa 100 Jahre vor der Geburt Jesu von Nazareth die Theorie von zwei verschiedenen Messiassen aufkam. Man konnte nicht verstehen, wie die beiden so verschiedenen Bilder auf ein und dieselbe Person zutreffen könnten und kam zu dem falschen Schluß, daß der leidende Gottesknecht sein Volk dadurch von der Sünde befreien würde, daß er in den Tod ginge. Er würde in erster Linie ein geistlicher Befreier sein. Der siegreiche König dagegen werde dereinst die Feinde Israels niederwerfen und der Welt den Frieden bringen. Dieser König sei ein rein politischer Befreier.

Die große Frage

Warum lehnte die Mehrheit der Juden, denen die Lehren der Propheten bekannt waren, Jesus von Nazareth als ihren Messias ab? Jesus selbst wies doch auf alttestamentliche Weissagungen hin, die sein Leben betrafen und die er erfüllte.

Zuerst einmal nahmen die Juden die Stellen, die von einem leidenden Messias handelten, nicht wörtlich. Dagegen nahmen sie die Stellen, die vom herrschenden König handelten, buchstäblich. Ihre religiösen Überzeugungen waren so verkümmert, daß sie ihre Sündhaftigkeit nicht mehr erkannten. Sie glaubten, das Gesetz Moses zu halten und sahen nicht ein, daß sie durch einen leidenden Messias von ihren Sünden erlöst werden mußten.

Die religiösen Führer hatten eine Gesetzesauslegung entwickelt, die das Halten der Gebote zu einer rein äußeren Angelegenheit machte (Markus 7,1-15). Jesus dagegen wies in der Bergpredigt auf die wahre Bedeutung des Gesetzes hin. Er machte das an vielen Beispielen klar. Nicht nur der ausgeführte Mord sei ein Verbrechen, sondern schon der Zorn gegen den Nächsten (Matthäus 5,21-22). Nicht nur der sei ein Ehebrecher, der wirklich Ehebruch begeht, sondern bereits derjenige, der eine Frau lüstern ansieht (Matthäus 5,27-32).

Er erklärte die wahre Bedeutung des Gebotes »Liebe deinen Nächsten wie dich selbst«, indem er es nicht nur auf den Freund, sondern auch auf den Feind bezog (Matthäus 5, 43-48). Bei jedem Gebot stellte er die falsche Auslegung der Schriftgelehrten heraus und wies auf den wahren Sinn der einzelnen Gebote in den Augen Gottes hin. Gott sieht nicht auf das Äußere der Person, sondern er sieht das Herz an.

Ich bin überzeugt, daß, wenn Sie den letzten Abschnitt ernstnehmen, Sie sich jetzt etwas unbehaglich fühlen. Vielleicht ergeht es Ihnen so wie mir vor ein paar Jahren, als mir zum erstenmal die wahre Bedeutung der zehn Gebote Gottes aufging. Damals stellte ich mir die Frage: Wer in aller Welt kann vor Gott bestehen, wenn man das Gesetz auch in seinen Gedanken und Beweggründen halten soll?

Denken Sie ähnlich, dann kann ich Sie nur beglückwünschen, denn dann haben Sie den Sinn der Gebote Gottes erkannt. Die Gebote sind nämlich von Gott nicht dazu bestimmt, daß wir durch ihre Erfüllung, das heißt durch unsere eigenen Werke, unsere eigene Kraft, vor Gott bestehen können. Sie sollen uns vielmehr in erster Linie einen Spiegel vor Augen halten, damit wir erkennen, wie vollkommen wir sein müßten, wenn wir vor Gott in eigener Gerechtigkeit bestehen wollten. Deshalb heißt es im Jakobusbrief: »Denn wer das ganze Gesetz hält, aber gegen ein einziges Gebot verstößt, der ist in allem schuldig geworden« (Jakobus 2, 10). Im Lichte dieser Worte ist klar zu verstehen, warum in der Bibel an anderer Stelle geschrieben steht: »Denn aus Gesetzeswerken wird kein Mensch vor Gott gerechtfertigt werden« (Römer 3, 20).

Das Gesetz wurde der Menschheit gegeben, um zu zeigen, *warum* sie einen »leidenden Messias« nötig hatte, der allein in der Lage war, den Menschen vor Gott zu rechtfertigen. Jeder, der nicht einsieht, daß es sich hier um ein geistliches Problem handelt, verfällt automatisch einem Befreier im politischen Bereich. Von dieser Sicht aus ist es zu begreifen, wie man dazu kam, die Weissagungen vom leidenden Messias unbeachtet zu lassen.

Jesus gab glaubwürdig Zeugnis von seiner Sendung. Aber viele lehnten ihn ab, weil sie auf einen großen Feldherrn warteten. Sie wollten einen politischen Führer, der sie vom Joch der römischen Sklaverei befreite. In ihrer Blindheit ließen sie dabei mehr als dreihundert ausdrückliche Weissagungen ihrer heiligen Schriften, die sich auf den Messias bezogen, außer acht.

Der zweite Grund, warum das jüdische Volk Jesus als den Messias abwies, war die Gleichgültigkeit im Blick auf seine geistliche Not. Man wollte seine Ruhe. Man war ja so beschäftigt, mußte noch zu einem Wagenrennen oder Gastmahl. Gefangen vom geschäftlichen Alltag, vergaß man die tieferen Bedürfnisse der Seele. Außerdem machte man sich nicht die Mühe, selbst zu überlegen und in der Schrift nachzuforschen. Viele wußten, daß jener Zimmermann aus Nazareth etwas Geheimnisvolles und Ungewöhnliches an sich hatte. Aber die religiösen Führer lehnten ihn ab, und man übernahm kritiklos deren Meinung, anstatt selbst die Wahrheit zu ergründen. Weil die Menschen zu lässig waren, eigene Nachforschungen anzustellen, machte Jesus eine erstaunliche Aussage über die Zeichen der Zeit. Er zeigte einfach und klar, wie sich die Prophetie in seinem eigenen Leben erfüllte. Dennoch blieb er unbeachtet.

Zeichen der Zeit

Die Theologen zur Zeit Jesu waren Skeptiker ersten Ranges. Sie kamen zu Jesus und forderten von ihm ein Zeichen. Sie erwarteten irgendein sensationelles Wunder zur Begründung seines Messiasanspruches. Wenn er plötzlich vom Himmel her als der Siegesfürst erschienen wäre (wie es in Sacharja 14 geschildert wird), alle Reiche der Welt in Besitz genommen und das Römische Reich zerschlagen hätte, ja, dann hätten sie ihm geglaubt, dann wäre er ihr Mann gewesen.

Dabei hatte Jesus bereits ganz erstaunliche Zeichen seiner Vollmacht gegeben. Er hatte viele Kranke geheilt, ja sogar Tote auferweckt. Das war jenen Theologen jedoch nicht Beweis genug. Jesus antwortete ihnen auf ihre Forderung nach größeren Wundern folgendes: »Am Abend sagt ihr, es gibt schönes Wetter, denn der Himmel ist rot, und am frühen Morgen: Heute gibt es Regenwetter, denn der Himmel ist rot und trübe. Das Ansehen des Himmels versteht ihr zu beurteilen; die Zeichen der Zeit aber nicht!« (Matthäus 16, 2-3).

Es ist wichtig zu erkennen, was Jesus hier sagen will. Die Bewohner Palästinas betätigen sich auch heute noch gerne als Amateurmeteorologen. Die Wetterbedingungen dort sind derart, daß die hier angeführten Zeichen klare Anzeichen für die Wetterentwicklung sind.

Jesus will damit sagen, daß die Zeichen, die auf sein Kommen hindeuten, so klar sind wie Zeichen am Himmel. Prüfen wir einmal diese Zeichen. Betrachten wir ganz bestimmte Prophezeiungen, aus denen hervorgeht, wie Jesus die Rolle des Messias erfüllen sollte, wie das Bild des leidenden Messias auf ihn zutrifft. Die erste Gruppe der Weissagungen bezieht sich auf seine Geburt.

Seine Familie

Gott verhieß dem Abraham, dem Stammvater aller Juden, einer seiner direkten Nachkommen werde allen Völkern der Erde zum Segen werden (1. Mose 12, 1-3). Ferner offenbarte Gott Jakob, einem Nachkommen Abrahams, der Messias werde aus einem bestimmten Stamm, aus Juda, hervorgehen (1. Mose 49, 10). Die Juden hatten nach ihrer Eroberung Palästinas das Gebiet in

Stammesstaaten aufgeteilt, das heißt, das Land wurde nach 12 Familien aufgegliedert. Diese Familien stammten von den 12 Söhnen Jakobs ab.

Zur Zeit des Königs David wurde die messianische Weissagung noch weiter präzisiert. Nicht nur aus dem Stamme Juda, sondern aus den Nachkommen des Königs David werde dereinst der messianische Sproß hervorgehen. Der Prophet Nathan verkündete: »Und wenn einst deine Tage voll sind, so daß du zu deinen Vätern hingehst, so will ich nach deinem Tode deine Nachkommenschaft, und zwar einen von deinen Söhnen, zu deinem Nachfolger erheben und ihm sein Königreich befestigen. Er soll mir dann ein Haus bauen, und ich will seinen Thron feststellen für immer. Ich will ihm Vater sein, und er soll mir Sohn sein . . .« (1. Chronika 17, 11-13).

An dieser Stelle werden dem König David zwei wichtige Ankündigungen gemacht. Erstens, einer seiner direkten Nachkommen werde für immer regieren; zweitens, dieser Verheißene werde nicht nur sein direkter Nachkomme sein, sondern in einzigartiger Weise der Sohn Gottes.

In der rabbinischen Tradition galt diese Weissagung als messianisch. Folglich lautet einer der gebräuchlichsten messianischen Titel »der Sohn Davids«.

Der Geburtsort

Der Prophet Micha lebte 700 Jahre vor Christi Geburt und war ein Zeitgenosse des großen Propheten Jesaja. Es wurde ihm geoffenbart, daß der Messias dereinst in Bethlehem geboren werde. »Du aber, Bethlehem Ephrata, bist zwar zu klein, als daß du zu den Gaustädten Judas gehörtest, aber aus dir wird mir der hervorgehen, der in Israel Herrscher sein soll und dessen Herkunft der

Vergangenheit, den Tagen der Urzeit, angehört«
(Micha 5, 1).

Diese prophetische Stelle vom Messias war unmißverständlich klar, weil sie von seiner ewigen Existenz vor
der Zeit spricht. Sie weist auf einen hin, »dessen Herkunft der Vergangenheit, den Tagen der Urzeit, angehört«.

Hier war nicht mehr von einem gewöhnlichen Menschen die Rede, sondern von einem übernatürlichen Wesen, das von Bethlehem aus in die Geschichte eintreten
würde.

Diese Prophezeiung steht auch im Matthäus-Evange-
lium, und zwar an der Stelle, wo der König Herodes von
den jüdischen Theologen Auskunft über den Geburtsort
des kommenden Messias verlangt. Sie antworteten ihm:
»Zu Bethlehem in Judäa, denn so steht es bei dem Propheten geschrieben« (Matthäus 2, 5).

Ist es nicht bemerkenswert, wie genau das jüdische
Volk seine prophetischen Schriften von Jahrhundert zu
Jahrhundert weitergab?

Die Zeit

Wir haben im vorhergehenden die prophetischen Stellen
bezüglich des Stammbaumes des Messias und seines Ge-
burtsortes betrachtet; im folgenden wollen wir den Zeit-
faktor näher ins Auge fassen. Der Prophet Daniel erhielt
während seiner Gefangenschaft in Babylon von Gott die
Offenbarung eines genauen Zeitplans der zukünftigen
Geschichte des Volkes Israel. Daniel wurde gesagt, vom
Zeitpunkt des Erlasses, die Juden in ihre Heimat zurückziehen zu lassen, bis zum Kommen des Messias werde
eine ganz bestimmte Anzahl von Jahren verstreichen.

Der Zeitpunkt des besagten Erlasses läßt sich aus der
biblischen Geschichte in Nehemia 2, 1-10 genau feststel-

len. Auch die Archäologie hat Beweise für die Geschichtlichkeit dieses königlichen Erlasses in alten persischen Archiven entdeckt. Vom Zeitpunkt der Rückkehr der Juden aus der babylonischen Gefangenschaft nach Jerusalem und dem Aufbau der Stadt und des Tempels auf Grund der Verordnung des Königs Cyrus bis zu der Zeit, da der Messias als Fürst in Erscheinung treten sollte, um den Thron Davids in Besitz zu nehmen, würden 483 Jahre (69 Jahrwochen = 483 Jahre) vergehen. Sir Robert Anderson von Scotland Yard brachte viele Jahre seines Lebens mit der Prüfung von Einzelheiten dieser Weissagung zu. Über seine Studien veröffentlichte er ein umfassendes Werk mit dem Titel »Der kommende Fürst«.

Daniel wurden nicht nur bestimmte Jahresangaben geoffenbart, sondern auch der Ablauf größerer geschichtlicher Ereignisse, die nicht geleugnet werden können.

Am Anfang steht der Erlaß des persischen Königs Cyrus, die Juden aus ihrer Gefangenschaft zu entlassen, um in ihre Heimat zurückzukehren und den Tempel wiederaufzubauen.

Dann sollte der Messias als Fürst erscheinen. Darauf würde er ums Leben gebracht werden. Nach dem Tode des Messias sollte ein großes Heer Stadt und Tempel zerstören, die zuvor von den heimgekehrten Juden aufgebaut worden waren (Daniel 9).

Diese Weissagung Daniels zeigt, daß der Zeitpunkt für das Kommen des Messias, wer immer er auch sein mochte, auf jeden Fall vor dem Jahre 70, dem Zeitpunkt der Zerstörung der Stadt und des Tempels durch Titus, angesetzt werden muß.

Vor dieser Zeit kommt nur einer in Frage, der ernsthaft als der Messias in Betracht gezogen werden kann, der Zimmermann aus Nazareth.

Im vorhergehenden beleuchteten wir kurz einige prophetische Stellen in bezug auf die Geburt des jüdischen Messias; nun wollen wir uns den prophetischen Stellen zuwenden, die vom öffentlichen Wirken des Messias sprechen.

Jesaja beschreibt sein Wirken wie folgt: ,,Alsdann werden die Augen der Blinden sich auftun und die Ohren der Tauben sich öffnen; dann wird der Lahme springen wie ein Hirsch, und die Zunge des Stummen wird jauchzen« (Jesaja 35, 5-6).

Jesus kannte sich in den alttestamentlichen Propheten aus! Obige Stelle aus Jesaja zitierte er wörtlich, als Johannes der Täufer anscheinend an seiner Person zweifelte. Johannes war der Vorläufer Jesu, er sollte das Kommen des Messias ankündigen. Aber nicht einmal er vermochte die beiden verschiedenen Bilder des Messias miteinander in Einklang zu bringen. Als er im Gefängnis saß, schickte er Boten zu Jesus mit der Frage: »Bist du es, der da kommen soll, oder sollen wir auf einen anderen warten?« (Matthäus 11, 3).

Jesus antwortete mit einem Prophetenwort, und zwar mit der prophetischen Ankündigung der Wunder des Messias: »Geht hin und berichtet dem Johannes, was ihr hört und seht: Blinde werden sehend, und Lahme gehen, Aussätzige werden rein, Taube hören, Tote werden auferweckt, und Armen wird die Heilsbotschaft verkündet« (Matthäus 11, 4-5).

Genau diese Art von Wundern wirkte Jesus als Zeichen für seine messianische Sendung.

Die erstaunlichsten Aussagen über den leidenden Messias finden sich in den Stellen, die seine Zurückweisung und sein Leiden schildern. Genannt sei hier das Kapitel 53 des Buches Jesaja. Man hat es »das schlechte Gewissen der Synagoge« genannt, weil es in jüdischen Gotteshäusern nicht mehr öffentlich gelesen wird.

Im vorhergehenden Kapitel, Jesaja 52, haben wir eine allgemeine Beschreibung des Gottesknechtes vor uns. Hier kann der Prophet nicht das Volk Israel, das an verschiedenen Stellen auch »Knecht« genannt wird, gemeint haben, wie von den Juden behauptet wird. Nein, hier ist von einem Kommenden die Rede, der einst Israel erretten wird. »Wisse wohl: mein Knecht [Christus] wird Erfolg haben. Er wird emporsteigen und erhöht werden und hocherhaben dastehen, nicht mehr einem Manne ähnlich war sein Aussehen und seine Gestalt nicht mehr wie die der Menschenkinder« (Jesaja 52, 13-14).

Diese Schilderung bezieht sich auf die Geschehnisse der Passion, als man Jesus der unmenschlichsten Behandlung aussetzte. »Ebenso wird er viele Völker in Erstaunen versetzen, und Könige werden über ihn den Mund verschließen; denn was ihnen nie erzählt worden war, das sehen sie nun, und wovon sie nie etwas gehört hatten, das nehmen sie nun wahr« (Jesaja 52, 15).

Hier will der Prophet sagen, daß der Messias die Völker dereinst in Erstaunen versetzen werde und sie Dinge sehen sollten, die sie zuvor nie gesehen hatten, das heißt, die Heiden würden beginnen, die Wege Gottes zu verstehen.

Daß Jesaja von der Zurückweisung des Messias spricht, ist äußerst erstaunlich, wenn man bedenkt, daß dieses Wort 700 Jahre vor den Ereignissen niedergeschrieben wurde. Wie hätte damals der Prophet ohne göttliche Erleuchtung voraussagen können, daß sein Volk einst gerade den zurückweisen würde, den es schon so lange sehnlichst erwartete (Jesaja 53, 1-3)?

Hingewiesen sei in diesem Zusammenhang noch auf

eine interessante Tatsache. Der Prophet beschreibt diese Ereignisse in der Vergangenheitsform. Hierbei handelt es sich um einen literarischen Kunstgriff der jüdischen Schreiber – »er hatte keine Gestalt und keine Schönheit, daß sie ihn hätten ansehen mögen«. Wenn man die Gewißheit einer prophetischen Stelle in besonderer Weise unterstreichen wollte, benutzte man die Zeitform, die im Hebräischen die prophetische Vergangenheitsform genannt wird.

Weiter heißt es vom Gottesknecht, daß ihn die Juden zurückweisen würden, weil er nicht im königlichen Glanze erscheinen werde. Er werde »verabscheut und von niemand beachtet« werden. Genauso geschah es mit Jesus.

In den folgenden Versen wird das stellvertretende Sühneleiden des Gottesknechtes angekündigt. »Jedoch unsere Krankheiten waren es, die er getragen hat, und unsere Schmerzen hatte er sich aufgeladen, während wir ihn für einen Gestraften, von Gott Geschlagenen und Gemarterten hielten. Und doch war er verwundet um unserer Übertretungen und zerschlagen um unserer Verschuldungen willen. Die Strafe war auf ihn gelegt zu unserem Frieden. Durch seine Striemen ist uns Heilung zuteil geworden. Wir gingen alle in die Irre wie Schafe, jeder wandte sich seinem eigenen Wege zu; er aber hat unser aller Schuld auf *ihn* fallen lassen« (Jesaja 53, 4-6).

Seit der Geburt und dem Tode Jesu von Nazareth haben die Rabbis diese Stelle neu zu deuten versucht und gesagt, das persönliche Fürwort »er« beziehe sich nicht auf eine Person, sondern auf das Volk Israel als Gesamtheit. Die Stelle spricht jedoch davon, daß diese Person die Folgen der Missetaten Israels auf sich nehmen werde. Israel konnte nicht sein eigener Stellvertreter sein. Die Stelle sagt klar, daß Gott *unsere* Schuld auf ihn gelegt hat.

In Jesaja 53 heißt es dann weiter, daß dieser Person keine Gerechtigkeit nach dem Gesetz zuteil werden würde. So erging es Jesus, als er vor dem jüdischen Tribunal stand. Alle waren erstaunt, daß er keinen Versuch unternahm, sich zu verteidigen. »Als er mißhandelt wurde ... tat er seinen Mund nicht auf« (Jesaja 53, 7).

Der folgende Vers enthält eine weitere klare Voraussage, daß der Messias für die Übertretungen seines Volkes, aber auch für die der ganzen Welt, den Tod erleiden werde. » ... doch wer von seinen Zeitgenossen bedachte es, daß er vom Lande der Lebenden abgeschnitten war?« (Jesaja 53, 8b).

Dann heißt es, daß der Messias mit Verbrechern zusammen sterben werde. »Man bestimmte sein Grab bei Übeltätern, aber bei einem Reichen ward es ihm zuteil nach seinem Tode« (Jesaja 53, 9, siehe Menge Anmerkung).

Traf dies ein? Ja, wörtlich. Jesus wurde zwischen zwei Mördern gekreuzigt. Nach seinem Tode begrub ihn ein reicher Pharisäer, der heimlich auf seiner Seite stand, in seinem eigenen Felsengrab. Der Reiche war Joseph von Arimathia.

Weiter weissagt Jesaja, der Messias werde die Sünde der Menschen tragen und so die Menschen vor Gott rechtfertigen. »Er hat die Sünden der vielen getragen und ist für die Übeltäter als Mittler eingetreten« (Jesaja 53, 12). Die meisten von uns kennen sicher das bekannte Wort Jesu am Kreuz: »Vater, vergib ihnen, denn sie wissen nicht, was sie tun.«

Die dreißig Silberlinge

Ein weiterer alttestamentlicher Prophet ist Sacharja. Er lebte etwa fünfhundert Jahre vor Christus und machte ganz erstaunliche Voraussagen bezüglich des Messias, die sich wortwörtlich erfüllt haben. Eins dieser Worte, das sich nur auf seine Person beziehen kann, lautet: »Als ich zu ihnen sagte: Wenn es euch gut scheint, so gebt mir meinen Lohn, wo nicht, so laßt es bleiben! Als sie mir nun dreißig Silberstücke als meinen Lohn dargewogen hatten, gebot mir der Herr:›Wirf ihn in den Tempelschatz, den kostbaren Preis, dessen ich von ihnen wertgeachtet worden bin!‹ Da nahm ich die dreißig Silberstücke und warf sie im Hause des Herrn in den Tempelschatz« (Sacharja 11, 12-13).

Man beachte die zwei spezifischen Aussagen dieser Stelle. Erstens, es wird eine Zeit kommen, da das Volk den Wert seines eigenen Gottes auf dreißig Silberlinge schätzt. Zweitens, diese dreißig Silberlinge werden in den Tempelschatz geworfen und dazu benutzt, um vom Töpfer einen Friedhof für Fremde zu kaufen.

Wer von unseren heutigen modernen »Propheten« würde es wohl wagen, so genaue Voraussagen zu machen? Genau entsprechend der Voraussage traf es ein. Der Evangelist Matthäus berichtet uns, wie Judas zu den Feinden Jesu, den Hohenpriestern, geht und spricht: »Was wollt ihr mir geben, daß ich ihn euch in die Hände liefere? Da zahlten sie ihm dreißig Silberstücke aus« (Matthäus 26, 14-15).

Nachdem Judas Jesus verraten hatte und sah, welche Entwicklung die Dinge nahmen und sein Meister zum Tode verurteilt wurde, was er nicht erwartet hatte, kam ihm die Schuld, die er auf sich geladen hatte, mit ganzer Macht zum Bewußtsein. Er ging zu den Priestern und versuchte, ihnen das Geld zurückzugeben, aber diese hatten nur Spott und Hohn für ihn übrig. Da geriet er in Zorn und Verzweiflung und warf ihnen das Geld vor die Füße in den Tempel (Matthäus 27, 3-5).

Die Priester nahmen das Geld und sagten: »Es geht nicht an, daß wir es in den Tempelschatz tun, denn es ist Blutgeld. Nachdem sie dann einen Beschluß gefaßt hatten, kauften sie für das Geld den Töpferacker zum Begräbnisplatz für die Fremden« (Matthäus 27, 6-10). Das war zweifellos ein Versuch, ihr Gewissen zu beruhigen.

Man beachte hier einen sehr wichtigen Punkt. Die Erfüllung dieser Weissagung konnte von Jesus nicht beeinflußt werden, das heißt, sie erfüllte sich ohne sein Zutun. Er trat dabei nicht in Erscheinung. Durch diese Tatsache wird die Behauptung eines Buches widerlegt, das eine gewisse Popularität erlangte und den Titel trägt: »Das Osterkomplott«. Sein Verfasser anerkennt zwar die Historizität der Person Jesu, behauptet jedoch, dieser habe es absichtlich darauf angelegt gehabt, die alttestamentlichen Messiasweissagungen mit seiner Person in Verbindung zu bringen, um so als Messias zu gelten. Diese Theorie kann einfach nicht stimmen, denn wie ließe sich die Erfüllung der vielen prophetischen Stellen erklären, zum Beispiel diejenige von den dreißig Silberlingen aus Sacharja, auf die Jesus, wäre er wirklich ein falscher Prophet gewesen, doch gar keinen Einfluß zu nehmen vermochte?

Weissagung in bezug auf die Kreuzigung

Jesus belehrt seine Jünger, daß sich auch in den Psalmen Hinweise auf seine Leiden befinden (Lukas 24, 44-46). Eine der klarsten Prophezeiungen in diesem Zusammenhang steht in Psalm 22, den König David mehr als tausend Jahre vor Christus geschrieben hat. David beschreibt darin Ereignisse, die sich nicht auf ihn selbst beziehen können, da sie ganz jenseits seines eigenen Erfahrungsbereichs lagen.

Die Psalmen galten bei der alten rabbinischen Schule als Gottes Wort, und David redete »im Geiste«. Der Psalmist gibt eine eingehende und genaue Voraussage von einem Menschen, der gekreuzigt wird. Er spricht vom Leiden des Messias, so als befände er sich mit ihm am Kreuze, fühlte seine Pein, sähe die Umstehenden und erlebte die Ereignisse um sich her. David schreibt: »Wie Wasser bin ich ausgegossen.« Hier sieht der Seher Jesus in der brennenden Sonne am Kreuz hängen. »Alle seine Glieder sind ausgerenkt.« Hier wird eine der grausamsten Seiten der Kreuzigung angesprochen. Die Sehnen des Gekreuzigten strecken sich, und die Knochen springen aus den Gelenken.

Dann spricht er von dem großen Durst des leidenden Herrn. »Die Zunge klebt mir am Gaumen.« Jesus rief, als er am Kreuze hing: »Mich dürstet.«

»Ach, Hunde umgeben mich, eine Rotte von Übeltätern umkreist mich; sie haben mir Hände und Füße durchbohrt, alle meine Gebeine kann ich zählen: sie blikken mich an und weiden sich an dem Anblick; sie teilen meine Kleider unter sich und werfen über mein Gewand das Los« (Psalm 22, 17-19).

»Hund« war eine damals übliche jüdische Bezeichnung für die Heiden. Jesus wurde von heidnischen Knechten gekreuzigt. Er war bei der Kreuzigung nackt. Der Abschnitt spricht von der Schande der Kreuzigung. Am Fuß des Kreuzes losten Soldaten um seine Kleider.

So beeindruckend diese Stelle wegen ihrer Genauigkeit ist, gewinnt sie noch zusätzliche Bedeutung, wenn man sich vergegenwärtigt, daß zur Zeit Davids die Kreuzigung als Strafe noch gar nicht bekannt war. Die Todesstrafe der damaligen Zeit war die Steinigung. Erst 800 Jahre später, um 200 v. Chr., führten die Römer die Todesstrafe durch Kreuzigung ein.

Was gibt uns wohl die beste Garantie für die historische Genauigkeit in bezug auf Jesus in den neutestamentlichen Schriften? Es ist der Haß und die feindliche Gesinnung der Juden. Die Nachricht von der Erfüllung der messianischen Weissagung wurde mündlich im ganzen Land Palästina verbreitet, und zwar vom ersten Pfingstfest an, das heißt vom 50. Tag nach den Ereignissen der Kreuzigung und Auferstehung.

Hätten die Feinde Jesu auch nur eines der Ereignisse leugnen können, so hätten sie es getan und so der neuen Bewegung gleich zu Anfang jeden Boden entzogen. Aber Tatsachen lassen sich eben nicht wirksam leugnen, und so griffen sie zu dem einzigen Mittel, das ihnen übrigblieb: Sie versuchten, die Zeugen zu beseitigen.

Die Führer des Volkes wollten eben keinen leidenden und hingerichteten Messias. Aber Gott läßt sich nicht spotten und einfach beiseite schieben. Knapp 40 Jahre später traf sie die strafende Hand ihres Gottes, wie es Jesus vorausgesagt hatte: »Es werden Tage über dich kommen, da werden deine Feinde einen Wall wider dich aufführen, dich ringsum einschließen und von allen Seiten bedrängen; sie werden dich und deine Bewohner in dir dem Erdboden gleichmachen und keinen Stein in dir auf dem anderen lassen zur Strafe dafür, daß du die Zeit deiner gnadenreichen Heimsuchung nicht erkannt hast« (Lukas 19, 43-44).

Ging diese Weissagung in Erfüllung? Ja, im Jahre 70 zerstörte der römische Feldherr Titus die Stadt und den Tempel und führte die überlebenden Bewohner in die Gefangenschaft.

Wiederholen wir die Fehler der Geschichte? Gehen wir achtlos über die biblische Prophetie hinweg, oder prüfen wir sorgsam ihre Aussagen? Bleiben wir gleichgültig? Sollen wir die Prophetie den Fachtheologen überlassen, die oft im Unglauben an die Texte herantreten, oder sollen wir selbst in der Schrift forschen?

Es gibt viel mehr prophetische Stellen, die vom herrschenden Messias sprechen als vom leidenden Messias. Sollen wir diese unbeachtet lassen, nur weil es der Unglaube so möchte?

Im folgenden werden wir uns eingehend mit der endzeitlichen Weissagung beschäftigen, das heißt mit den Texten, die von der Zeit unmittelbar vor dem Kommen des Messias in Macht und Herrlichkeit handeln.

Oft stehen diese Stellen in den gleichen Abschnitten wie die bereits erfüllte Weissagung vom leidenden Messias. Sollte man nicht annehmen, daß die bisher noch unerfüllten Schriftstellen in gleicher Weise in Erfüllung gehen wie die bereits erfüllten Weissagungen? Der Verfasser möchte diese Frage mit einem eindeutigen »Ja« beantworten.

Es gibt nur wenige Länder in der Welt, die eine so zentrale Rolle in der Geschichte gespielt haben wie das Land Israel.

David Ben Gurion, 1965

KAPITEL 4

DER KRIEGSSCHAUPLATZ WIRD VORBEREITET

Irgenwann in der Zukunft wird es eine Periode von sieben Jahren geben, an deren Ende die sichtbare Wiederkunft Jesu Christi stehen wird. Die meisten Prophezeiungen, die noch nicht erfüllt sind, beziehen sich auf Ereignisse kurz vor Beginn und während dieser siebenjährigen Periode, die, so lautet die biblische Prophetie, erst kommen kann, wenn das Volk Israel als Nation wieder in seiner alten Heimat angesiedelt ist.

Schlüssel zum prophetischen Rätsel

Aus der endzeitlichen Prophetie geht hervor, daß in der Zeit der Wiedergeburt des Staates Israel eine bestimmte Neugruppierung der politischen Mächte in vier politische Machtblöcke erfolgen wird. Jeder dieser Blöcke wird von einem bestimmten Volk beherrscht, das wiederum mit bestimmten anderen Völkern verbündet ist. Die Beziehung all dieser Faktoren zueinander läßt sich nach dem folgenden Schlüssel bestimmen. Erstens, jeder der vier politischen Machtblöcke hat irgendwie mit dem wiedererstandenen Staat Israel zu tun.

Zweitens, jeder dieser Machtblöcke bildet einen Hauptfaktor in dem großen Krieg der Endzeit, der in der

Schlacht von »Harmagedon« seinen Höhepunkt finden und durch eine gewaltsame Besetzung des Staates Israel ausgelöst werden wird.

Drittens, jeder dieser Machtblöcke wird bei der persönlichen Wiederkunft des jüdischen Messias, Jesus Christus, gerichtet und zur Strafe für den Überfall auf den neuen Staat Israel zerschlagen.

Es ist klar, daß diese vorausgesagten Ereignisse in der Geschichte miteinander in enger Beziehung stehen, was die Zeit ihres Beginns und ihres Endes anbetrifft. Aus diesem Grunde kann man die einzelnen Stellen der Prophetie zu einem zusammenhängenden Bild zusammenfügen, obgleich sie sich über das ganze Alte und Neue Testament verstreut finden.

Viele Theologen der vergangenen Jahre haben versucht, die Ereignisse des Ersten und Zweiten Weltkrieges irgendwie mit den prophetischen Endzeichen in Zusammenhang zu bringen. Als die Voraussagen nicht eintrafen, geriet die ganze Prophetie in Mißkredit. Die Leute, die in die Berge flohen und dort das Ende der Welt abwarten wollten, hatten nicht die blasseste Ahnung von der biblischen Weissagung. Auf Grund solcher und ähnlicher unschriftgemäßer Versuche, genaue Zeitpunkte zu errechnen, wurden viele skeptisch und wandten sich ganz von der biblischen Prophetie ab.

Traum und Wirklichkeit

Das wichtigste Ereignis, das aller endzeitlichen Prophetie vorausgehen muß und das viele Bibelgelehrte in der Vergangenheit übersahen, war die Tatsache, daß Israel als Nation wieder in seinem Heimatland wohnen mußte, ehe weitere endzeitliche Ereignisse eintreten konnten.

Israel, eine Nation, so viele Jahre lang ein Traum,

wurde am 14. Mai 1948 Wirklichkeit, als David Ben Gurion vor dem Parlament die Unabhängigkeitserklärung verlas und die Schaffung eines jüdischen Staates proklamierte.

Im Jahre 1949 erklärte Ministerpräsident Ben Gurion, es sei die Politik Israels, *alle* Juden nach Israel zurückzuführen. »Wir stehen damit noch am Anfang!«

Die siebenjährige Periode, von der wir vorhin sprachen, wird eine Zeit außergewöhnlicher Ereignisse sein. Für diese Zeitspanne finden sich in den prophetischen Büchern mehr Voraussagen als über jede andere Zeit. Der Apostel Johannes spricht von der ersten Hälfte dieser Zeit als von den 1260 Tagen (= 3½ mal 360 Tage) und von der zweiten Hälfte als den 42 Monaten (3½ Jahre).

Der Prophet Jeremia kündigt eine Zeit an, da Gott sein Volk Israel und Juda aus einer großen Gefangenschaft und Zerstreuung in die Heimat Palästina zurückführen werde. Er nennt diese Zeit die Zeit der Trübsal Jakobs.

Christus beschreibt die Weltsituation kurz vor seiner Wiederkunft mit den Worten: »Denn es wird alsdann eine schlimme Drangsalszeit eintreten, wie noch keine von Anfang der Welt bis jetzt dagewesen ist und wie auch keine wiederkommen wird; und wenn jene Tage nicht verkürzt würden, so würde kein Mensch gerettet werden« (Matthäus 24, 21-22).

Mit anderen Worten, diese Zeit wird von einer Verwüstung gekennzeichnet sein, wie der Mensch in seiner Geschichte noch keine erlebt hat, die er sich aber selbst zuzuschreiben hat. Die Menschheit wird bis an den Rand der Selbstvernichtung kommen, aber dann wird Christus plötzlich zurückkehren und der Schlacht aller Schlachten in Harmagedon ein Ende bereiten.

Was bisher in Israel geschah und zur Zeit dort geschieht, ist für das prophetische Gesamtbild äußerst bedeutsam. Wer die in der Prophetie für die unmittelbare Zeit vor der Schlacht von Harmagedon angekündigten Ereignisse studiert hat, ist über die Geschehnisse erstaunt, die sich zur Zeit vor den Augen der Welt abspielen.

Zu wenige Theologen schenken der erfüllten biblischen Weissagung ernsthafte Aufmerksamkeit. Dr. William F. Albright, bekannter Archäologe und Professor für semitische Sprachen, bestätigte diese Tatsache, nachdem er viele prophetische Stellen auf ihre Erfüllung in der Geschichte hin nachgeprüft hatte. Er sagte: »Daß die Propheten nicht nur Eiferer für ihre Sache waren, sondern auch Vorauskünder der Zukunft, geht aus der biblischen Überlieferung eindeutig hervor, wird aber von den modernen Bibelwissenschaftlern viel zu wenig beachtet . . .«

Das Volk Israel kann man nicht übersehen; wir haben in den Juden ein Wunder der Geschichte vor uns. Selbst der oberflächliche Beobachter wird in Verwunderung versetzt, wenn er sieht, wie die Nachkommen Abrahams, Isaaks und Jakobs als selbständige Rasse trotz der allerwidrigsten Umstände bis heute als Volk überlebt haben. Welches andere Volk kann seine fortdauernde Einheit nahezu viertausend Jahre weit zurückverfolgen?

Zweimal wurden die Juden als Nation vernichtet und als Sklaven unter unmenschlichen Bedingungen verschleppt; zweimal kehrten sie wieder in ihre Heimat zurück und errichteten von neuem ihren Staat.

Welches andere Volk hat seine nationale Einheit voll bewahrt, obschon es insgesamt 2600 Jahre lang kein eigenes Land besaß und in der Zerstreuung leben mußte?

Während all dieser Jahre waren die Juden den wütend-
sten und heftigsten Verfolgungen ausgesetzt, deren sich
je eine Stammes- oder Volksgemeinschaft ausgesetzt
sah.

Das Überleben der Juden ist ein Phänomen. Und dennoch wurde die jüdische Geschichte mit ihren Tragödien
und Triumphen von den Propheten genauestens vorausgesagt.

Die Bühne des Geschehens

Für manchen mag Geschichte eine tote Wissenschaft
sein, aber die Vorgeschichte der Wiedergeburt Israels
müßte eigentlich jeden von uns faszinieren. Sie kann als
Maßstab dafür dienen, für wie zuverlässig die Prophetie
über die Zukunft der Juden angesehen werden kann.

Als sich das jüdische Volk vor nunmehr 3500 Jahren
auf dem Weg von Ägypten zum Gelobten Lande befand,
weissagte Mose, daß es als Nation zweimal aus seiner
Heimat vertrieben werden würde, weil es seinem Gott
nicht glauben, sondern ihn verwerfen werde. Gott be-
diente sich dabei jeweils eines anderen Volkes als Werk-
zeug. Zunächst der Babylonier.

Elend in Babylon

Mose weissagte, ein mächtiges Volk werde in Israel einfallen und das Land verwüsten. Dabei werde es weder auf
Greise noch auf Kinder Rücksicht nehmen. Alles werde
niedergemetzelt, und keiner behielte mehr sein Eigentum. Die Überlebenden werde man als Sklaven nach Babylon verschleppen.

Der Prophet Jesaja fügte dieser Prophetie noch weitere Einzelheiten hinzu, und zwar 150 Jahre vor dem

Eintreffen der Ereignisse. Jesaja sprach zu dem König von Juda, Hiskia: »Wisse wohl, es kommt die Zeit, da wird alles, was sich in deinem Palast vorfindet und was an Schätzen deine Väter bis zum heutigen Tag aufgehäuft haben, nach Babylon weggebracht werden; nichts wird zurückbleiben, so hat der Herr gesprochen« (Jesaja 39, 6).

Der Prophet Jeremia weissagte die Dauer der babylonischen Gefangenschaft wie folgt: »Dieses Land soll zur Einöde, zur Wüste werden, und diese Völkerschaften sollen dem König von Babylon dienstbar sein siebzig Jahre lang« (Jeremia 25, 11).

Genau wie vorher verkündet, überfluteten die Babylonier das Südreich Juda mit seiner Hauptstadt Jerusalem und vernichteten es. Wer das Gemetzel überlebte, wurde als Gefangener nach Babylon weggeführt, wo er und seine Nachkommen siebzig Jahre lang als Sklaven dienen mußten (2. Chronika 36, 15-21).

Am Ende der siebzigjährigen Gefangenschaft ließ der persische König Cyrus einen Teil der Juden nach Jerusalem zurückkehren und den Tempel wiederaufbauen (2. Chronika 36, 22-23). Wie erinnerlich, war dieser König schon mehr als zweihundert Jahre vorher von Jesaja mit Namen genannt worden (Jesaja 44, 28 - 45, 4).

*

In der gleichen prophetischen Stelle, in der von der ersten Stufe der Züchtigung die Rede ist, spricht Mose auch noch von einer zweiten Stufe. Als Strafe für den fortwährenden Unglauben und Starrsinn seinem Gott gegenüber werde Israel zum zweitenmal als Staat ein Ende finden. Diesmal würden die Überlebenden über die ganze Welt unter alle Völker zerstreut werden und unbarmherzigen

Verfolgungen ausgesetzt sein. Es werde dort »zu keiner Ruhe kommen«, und »sein Leben werde an einem Faden hängen« (5. Mose 28, 64-68).

Noch viele andere Propheten, unter ihnen Jesaja, Jeremia, Hesekiel und Amos, weissagten die weltweite Zerstreuung des jüdischen Volkes und die Auflösung der Volksgemeinschaft im angestammten Lande.

Kurz vor seiner Gefangennahme und Kreuzigung sprach Jesus die inhaltsschweren Worte: » . . . große Not wird im Lande herrschen, und ein Zorngericht wird über dieses Volk ergehen; sie werden durch Schärfe des Schwertes fallen und in die Gefangenschaft unter alle Völker geführt werden . . .« (Lukas 21, 23-24).

Es ist wichtig zu beachten, daß Jesus die weltweite Zerstreuung der Juden für die gleiche Generation voraussagte, die ihn ans Kreuz brachte. Er sagte: »Wahrlich, ich sage euch: Die Strafe für dies alles wird über dieses Geschlecht kommen!« (Matthäus 23, 36).

Die Geschichte bestätigt die Genauigkeit dieser Weissagungen! Wie von Jesus vorher verkündet, zerstörten die Feinde – es waren die Römer unter ihrem Feldherrn Titus – kaum 40 Jahre später die Stadt und verwüsteten das Land, wobei Hunderttausende den Tod fanden. Die Überlebenden verfrachtete man auf Schiffe und transportierte sie zu den Sklavenmärkten Ägyptens. Bald schon überstieg das Angebot die Nachfrage, und die Sklaven wurden wertlos.

Fast 2000 Jahre lang mußten die Nachkommen Abrahams, Isaaks und Jakobs ohne eigenes Land und in beständiger Furcht vor Verfolgung und Tod heimatlos auf der Erde umherwandern. Sicher haben sie millionenmal die Frage gestellt: Warum all dies Elend für uns? Der wahre Christ betrachtet das jüdische Schicksal mit Verwunderung und Mitleid, aber für die Weltmenschen ist der Jude zu einem Phänomen geworden. Kein Wunder, daß Mose bezüglich der Leiden und Strafen geschrieben hat: »und sie [die Strafen] werden an dir und deinen Nachkommen als Zeichen und Wunder bis in Ewigkeit haften« (5. Mose 28, 46).

Die Elendsgeschichte Israels hat die Warnungen der Propheten voll bestätigt und sollte der ganzen Welt ein Zeichen sein: ein Zeichen dafür, daß man Gott beim Wort nehmen muß.

Die Wiedergeburt Israels

Aber die gleichen Propheten, die das Elend ihres Volkes voraussahen, sprechen auch von einer zukünftigen Wiederherstellung. Es ist erstaunlich, daß so viele das nicht erkennen wollen. Wenn der erste Teil der Weissagungen in Erfüllung gegangen ist, müßte man eigentlich damit rechnen, daß sich auch er zweite Teil der Prophetie erfüllen wird. Diese Wiederherstellung war von den Propheten für die Endzeit vorhergesagt worden. Diese Zeit findet ihren Höhepunkt in der siebenjährigen Trübsalszeit mit der anschließenden Wiederkunft des Messias, der dann den neuen Staat vor der Vernichtung bewahren wird.

Klarstellung

Hier muß man eine klare Unterscheidung treffen zwischen der Wiederherstellung Israels als Volk im Lande Palästina, die vor der Wiederkunft des Messias geschieht, und der »geistlichen Wiederherstellung« aller Juden, die den Messias erwartet haben, die bei seiner Wiederkunft auf die Erde erfolgt. Die Wiederherstellung Israels als Staat wird von noch ungläubigen Juden durch menschliche Anstrengungen verwirklicht. Tatsächlich sind die großen Katastrophen, die für die »Zeit der Trübsal« angekündigt sind, von Gott zu allererst dazu bestimmt, die Juden zum Glauben an ihren wahren Messias zu bringen (Hesekiel 38; 39).

Die Spötter

Vor dem Jahre 1948 leugneten manche christliche Theologen die Möglichkeit der Erfüllung der Prophetenstellen in bezug auf eine Wiederherstellung des Staates Israel in Palästina. Viele Theologen lehrten, alle Prophetie bezüglich Israels Zukunft habe sich schon in seiner Vergangenheit erfüllt. Andere behaupteten, die Israel gegebenen Verheißungen müßten auf die Kirche bezogen werden (weil Israel ja den Messias zurückgewiesen habe). Manche Theologen der liberalen Schule behaupten auch heute noch, die Prophetie habe keine Bedeutung im wörtlichen Sinn für unsere Zeit und könne folglich nicht ernsthaft in Betracht gezogen werden. Diese Haltung läßt sich nur schwer begreifen, wenn man die Tatsache des wiedererstandenen Staates Israel mit in die Waagschale legt.

Wahrheit aus staubigen Büchern

Es gab in der Geschichte immer Menschen, die sich sorgfältig mit dem Studium der prophetischen Schriften beschäftigten und diese wörtlich auffaßten. Der Verfasser durchstöberte viele Kommentare über biblische Prophetie. Den ältesten fand er aus dem Jahre 1611 und stellte fest, daß viele Theologen klar verstanden, daß dereinst vor der Wiederkunft des Messias die Juden in ihr Land Palästina zurückkehren und ihren Staat neu errichten würden. Diese Männer vertraten mutig ihre Ansicht, trotz des Spottes von seiten der meisten ihrer Glaubensbrüder.

Dr. John Cumming erkannte schon im Jahre 1864 klar aus der Schrift, daß Israel in der Endzeit als Staat in Palästina wiedererstehen werde. In diesem nunmehr über hundert Jahre alten Buch heißt es: »Heute sind die Juden als Volk über alle Länder zerstreut. Die Weissagungen über ihre Wiederherstellung sind aber klar und eindeutig und harren noch der Erfüllung. Als Volk wurden sie aus ihrem Lande vertrieben und zerstreut, als *Volk werden sie wieder gesammelt und wiederhergestellt.*« War nun dieser Mann ein Prophet oder ein Erforscher der prophetischen Bücher Gottes?

»Der Schlußakt in dem großen Drama eines außergewöhnlichen Volkes steht noch aus: seine Wiederherstellung, wie sie geweissagt ist. Wer streckt seine Hand aus und bereitet die Bühne für diesen Schlußakt vor?«

Die Tatsache, daß die Juden vor der Wiederkunft Christi wieder in ihrem Land als Nation wiederhergestellt werden müssen, wurde auch von James Grant, einem englischen Theologen, klar gesehen. Er schrieb im Jahre 1866:

»Die persönliche Wiederkunft Christi zur Errichtung des Tausendjährigen Reiches auf Erden wird nicht stattfinden, ehe die Juden wieder in ihrem eigenen Lande wohnen. Dazu müssen die Feinde Christi und der Juden ihre Heere aus allen Teilen der Welt gesammelt und mit der Belagerung der Stadt Jerusalem begonnen haben . . . Dies alles wird noch eine beträchtliche Zeit in Anspruch nehmen.« (Geschrieben 82 Jahre vor Neugründung des Staates Israel.)

Increase Mather, ein berühmter Prediger in den ersten Kolonien Amerikas, schrieb ein Buch, das 1669 veröffentlicht wurde und den Titel trägt: »Das Geheimnis der

Errettung Israels.« Darin durchleuchtet er viele wichtige Prophetien in bezug auf Israels Wiederherstellung. Auch er zeigt auf, daß die Juden nach Palästina zurückkehren und einen neuen Staat gründen werden, ehe ihre geistliche Umkehr und die Wiederkunft des Messias erfolgen.

Die Studienergebnisse dieser Männer, die übrigens mit ihrer Meinung im Gegensatz zu der Auffassung ihrer Zeit standen, sind für uns wichtig. Sie beweisen, daß diese prophetischen Stellen klar sind und verstanden werden können, wenn man sie wörtlich nimmt. Vor hundert Jahren schien es, menschlich gesprochen, Phantasterei, von einer Wiederherstellung eines jüdischen Staates auf palästinensischem Boden zu sprechen. Ihr Glaube an die Wahrheit dieser Bibelstellen hat sich vor unseren Augen bestätigt.

Diese Männer wandten bei ihrem Studium der prophetischen Schriften eine goldene Regel an, die sich an Hand der Betrachtung bereits erfüllter Weissagungen als richtig erwiesen hat.

»Wenn der wörtliche Sinn der Schrift einen Sinn ergibt, so suche nicht nach einem anderen Sinn. Nimm deshalb jedes Wort bei seiner ursprünglichen, gewöhnlichen, gebräuchlichen, wörtlichen Bedeutung, es sei denn, der unmittelbare Zusammenhang deutet aufgrund ähnlicher Stellen und unumstößlicher und fundamentaler Wahrheiten darauf hin, daß eine andere Bedeutung angenommen werden muß.«

Diese Methode hat der Verfasser nach bestem Wissen und Gewissen bei seiner Deutung angewandt.

Drei wichtige Ereignisse

Wir wollen nun Israels große Bedeutung als Zeichen der Zeit näher betrachten. Drei Ereignisse werden uns vor allem angekündigt. Erstens: die Wiederherstellung des jüdischen Staates in Palästina. Zweitens: die Wiedereinnahme der Jerusalemer Altstadt und der Heiligen Stätten durch die Juden. Drittens: die Wiedererrichtung des Tempels an seiner historischen Stätte.

Staatsneugründung an einem Tage

Vor nunmehr 2600 Jahren sagte der Prophet Hesekiel voraus, daß die jüdische Nation nach einer langen, weltweiten Zerstreuung wiederhergestellt werden würde. Dieses werde aber vor dem Wiederkommen des Messias geschehen, der käme, um einen großen Feind zu strafen, der sich gegen die neue Nation erheben werde. Hesekiel spricht prophetisch zu diesem großen Feind des wiederhergestellten Staates: »Nach geraumer Zeit sollst du Befehl erhalten: am Ende der Jahre sollst du über ein Land kommen, das sich von der Verwüstung erholt hat, zu einem Volk, das aus vielen Völkern auf den Bergen Israels, die dauernd verödet lagen, gesammelt worden ist; jetzt aber ist es aus den Völkern zurückgeführt . . .« (Hesekiel 38, 8).

Wann wird diese Prophetie erfüllt werden?

In den Worten Hesekiels befinden sich einige Hinweise, mit deren Hilfe die Zeit dieser angekündigten Wiederherstellung ermittelt werden kann.

Schlüssel 1: »am Ende der Jahre«. Dr. Kac, jüdischer Arzt und bekannter Bibelgelehrter, faßt es so zusammen: »Der Ausdruck ›am Ende der Jahre‹ bezieht sich im Alten Testament immer auf die Zeit der völligen nationalen Wiederherstellung und geistlichen Erlösung Israels.«

Schlüssel 2: Diese Wiederherstellung ist klar für eine

Zeit angekündigt, der eine lange Zeit der Verwüstung des Landes Israel vorausgegangen ist. Man beachte die folgenden Aussagen im Zusammenhang: »das Land, das sich von der Verwüstung erholt hat . . .« und » . . . auf den Bergen Israels, die lange Zeit verödet lagen . . .«

Schlüssel 3: Es wird die Zeit sein, wenn das jüdische Volk aus der Verbannung, »aus vielen Völkern«, zurückkehren wird. Hesekiel 37 gehört hier mit in den Zusammenhang und schildert das Wunder der Wiederherstellung von Land und Staat, dann anschließend seine geistliche Neugeburt. Dies alles ist für eine Zeit angekündigt, wenn die Welt sie sagen hört: »Verdorrt sind unsere Gebeine, und geschwunden ist unsere Hoffnung: es ist aus mit uns!« (Hesekiel 37, 11).

Schlüssel 4: Der entscheidende Punkt ist jedoch folgender: Die äußere Wiederherstellung des Staates Israel ist eng mit einer ständig wachsenden Feindschaft gegen die Juden verbunden; diese führt zu einem großen Strafgericht über alle Völker und zu der Wiederkunft des Messias, zur Aufrichtung des Gottesreiches auf Erden. Mit anderen Worten: Einem großen Feind im äußersten Norden (von Palästina aus gesehen) ist der neuerrichtete und blühende Staat Israel ein Dorn im Auge. Er greift den Judenstaat an und löst so den letzten Krieg auf dieser Erde aus. Dieser Krieg findet durch das direkte Eingreifen Gottes sein Ende. Dies wird in so überragender und beeindruckender Weise geschehen, daß viele der überlebenden Heiden und Juden an den wahren Messias, Jesus Christus, glauben werden.

Es kann nicht stark genug hervorgehoben werden: Diese Wiederherstellung ist für die Zeit nach einer weltweiten Zerstreuung der Juden und langdauernder Verwüstung ihres Landes angekündigt. Außerdem soll das Ereignis kurz vor der Wiederkunft Christi stattfinden.

Jesus, der Prophet

Auch Jesus Christus selbst macht bestimmte Angaben im Hinblick auf die Zeit seiner Wiederkunft. Seine Jünger stellten ihm zwei wichtige Fragen: 1. Welches ist das Zeichen deines Kommens? 2. Welches ist das Zeichen der Vollendung der Weltzeit?

Das »Kommen«, von dem die Jünger hier sprechen, nennt man allgemein das zweite Kommen Christi. Es ist ganz natürlich, daß sie die Vorzeichen seiner Wiederkunft zur Errichtung des versprochenen Königreiches Gottes wissen wollten.

Als Antwort nennt Jesus viele allgemeine Zeichen, die überall in der Welt sichtbar sein werden. Er bezeichnet sie als »Geburtswehen«. Er weist sie darauf hin, daß diese Zeichen, wie religiöser Abfall, Kriege, Revolutionen, Erdbeben, Hungersnöte und so weiter, in der Endzeit immer mehr zunehmen werden wie Geburtswehen, ehe ein Kind geboren wird.

Eines der großen angekündigten Zeichen wird jedoch oft übersehen. Er spricht davon, daß sich die Juden zur Zeit seiner Wiederkunft als Volksgemeinschaft in ihrem Lande Palästina befinden werden. Er sagt nämlich, diejenigen, »die in Judäa sind«, sollten in die Berge fliehen, um den Kriegen, die seiner Wiederkunft unmittelbar vorausgehen, zu entfliehen (Matthäus 24, 16).

Ein anderes Wort Jesu setzt die Existenz eines jüdischen Staates, ja selbst des alten Tempels, voraus, denn es heißt: »Betet nur, daß eure Flucht nicht . . . auf den Sabbath falle« (Matthäus 24, 20). Dies würde bedeuten, daß die alten Sabbathgesetze wieder in Kraft sind, wodurch eine schnelle Flucht vor dem einfallenden Feind verhindert würde. Sogar der Tempel muß laut dem Zeichen in Matthäus 24, 15 wieder erbaut sein. Mehr darüber später.

Jesu Weissagung über die Rückführung der Juden in das Land ihrer Väter gewinnt besondere Bedeutung, wenn wir daran denken, daß er an anderer Stelle die weltweite Zerstreuung und die völlige Vernichtung des jüdischen Staates noch zu Lebzeiten seiner Zeitgenossen angekündig hatte (Matthäus 23, 36; Lukas 21, 20-23).

Hier jedoch, wo Jesus von der Zukunft spricht und die Zustände bei seiner Wiederkunft schildert, befinden sich die Juden wieder als Volk in ihrem Lande.

In diesem Zusammenhang gibt uns Jesus einen äußerst wichtigen Zeitschlüssel. Er sagt: »Vom Feigenbaum aber lernet das Gleichnis: Sobald seine Zweige saftig werden und Blätter hervorbringen, erkennt ihr daran, daß der Sommer nahe ist. So auch hier: wenn ihr dies alles seht, so erkennet daran, daß der Menschensohn nahe vor der Tür steht« (Matthäus 24, 32-33).

Ein vollkommenes Gleichnis

Das Gleichnis vom Feigenbaum steht sinnbildlich für die Wiedergeburt Israels, das heißt das Wiederentstehen eines Judenstaates in Palästina. Der »Feigenbaum« war ein geschichtliches Symbol für Israel als Volk. Als die Juden nach nahezu zweitausendjähriger Verfolgung in der Fremde am 14. Mai 1948 offiziell ihren Staat neu gründeten, zeigte der »Feigenbaum« seine ersten Blätter. Jesus sagt, dies sei ein Zeichen dafür, daß »es nahe vor der Tür steht«. Es heißt dann weiter: »Wahrlich, ich sage euch: *Dieses Geschlecht* wird nicht vergehen, bis dies alles geschieht.«

Welches Geschlecht? Offensichtlich ist hier in diesem Zusammenhang das Geschlecht gemeint, das die Zeichen sieht, vor allem die nationale Wiedergeburt Israels. Eine Generation als Zeitangabe in der Bibel bedeutet die Zeit von etwa vierzig Jahren. Wenn dies eine richtige Deutung ist, würde sich innerhalb von etwa vierzig Jahren von 1948 ab gerechnet all dies abspielen. Viele Bibelgelehrte, die ein Leben lang die biblische Prophetie studiert haben, glauben, daß es so kommen wird.

Wiederinbesitznahme Jerusalems

Eine zweite Voraussetzung müßte erfüllt sein, ehe die Weltbühne für das endzeitliche Geschehen der siebenjährigen Trübsalszeit bereit sein kann, und zwar müßte die Altstadt Jerusalem wieder in jüdische Hände gelangen. Viele der mit der Wiederkunft des Messias zusammenhängenden Ereignisse werden sich nämlich in oder um Jerusalem abspielen. Vor 2500 Jahren weissagte der Prophet Sacharja den großen Ansturm der Heiden gegen das jüdische Volk, das zu jener Zeit nahe dem alten Jerusalem wohnen werde. Die Kapitel 12 bis 14 des Buches Sacharja beschreiben anschaulich der Reihe nach die Ereignisse. Wir bringen hier eine Gliederung dieser wichtigen Kapitel:

1. Belagerung Jerusalems durch die Völker (12, 1-3);
2. Beschreibung des Kampfes in und um Jerusalem (12, 4-9);
3. Christus offenbart sich einem Überrest der Juden in Jerusalem als der Messias (12, 10);
4. Buße und Glaube als Folge dieser Messiasoffenbarung (12, 11-14);
5. Erschließung des Quells der Entsündigung (13, 1);
6. Die glorreiche Wiederkunft des Messias (14, 1-21).

Aus diesen Kapiteln geht klar hervor, daß zur Zeit der glorreichen Wiederkunft des Messias die Juden wieder in der Altstadt Jerusalem wohnen, das heißt dieselbe wieder unter ihre Herrschaft gebracht haben. Jesus Christus sagt diesen Zustand in seiner letzten öffentlichen Rede vor seiner Festnahme voraus. Er warnt die Juden vor dem »Greuel der Verwüstung an heiliger Stätte«, von dem der Prophet Daniel spricht (Matthäus 24, 15).

»Greuel der Verwüstung« ist ein jüdischer Ausdruck aus dem Kultbereich und bedeutet die Entweihung des Tempels dadurch, daß ein Heide oder ein unheiliger Gegenstand in das Heilige (eine Abteilung des Tempels, die nur von einem befugten Priester betreten werden durfte) gebracht wurde. Schon einmal in der jüdischen Geschichte gab es einen »Greuel der Verwüstung an heiliger Stätte«; damals, im Jahre 165 vor Christus, drang der griechisch-syrische König Antiochus Epiphanes in den Tempel ein und ließ darin ein Schwein schlachten und »opfern«.

Der wichtige Punkt hier ist folgender: Wenn die Juden wirklich beabsichtigen, den Tempel wieder zu errichten, müssen sie vor allem Zugang zu dem alten Tempelplatz haben, der in der Altstadt Jerusalems liegt. Das war bis zum Jahre 1967 nicht möglich.

Im März und April 1967 hielt ich an vielen Universitäten an der amerikanischen Westküste Vorträge und legte dar, daß es nach meiner Ansicht nun an der Zeit sei, daß die Juden irgendwie bald in den Besitz der Altstadt Jerusalems gelangen müßten. Viele lächelten über meine Meinung. Dann kam der israelische Sechstagekrieg im Juni 1967. Zuerst war mir nicht ganz klar, wie sich das Ganze in das prophetische Bild einordnen ließe. Bis dann am dritten Kampftag Mosche Dayan, der findige israelische Verteidigungsminister, zur Klagemauer, dem letzten Überrest des alten Tempels, vordrang und den Ausspruch tat: »Wir sind zu der heiligsten unserer heiligen Stätten zurückgekehrt und werden sie niemals wieder aufgeben.«

Ich brauche wohl nicht besonders zu erwähnen, daß ich danach eine ganze Reihe von Telefonanrufen erhielt. Wieder einmal hatten die Juden das Unglaubliche geschafft. Sie hatten, ohne es zu wissen, eine weitere Vorbedingung erfüllt, ohne die das eigentliche Endzeitgeschehen nicht seinen Anfang nehmen kann. Dieses wird dann nach vielen Schrecknissen schließlich zu ihrer Bekehrung führen.

Der dritte Tempel

Eine letzte Vorbedingung steht noch aus, ehe die Bühne endgültig für den letzten Akt des Dramas bereit ist, und zwar die Wiedererrichtung des jüdischen Tempels an seiner geschichtlichen Stelle. Das Gesetz Moses schreibt für den Bau des Tempels eine bestimmte Stelle vor, und zwar den Berg Morija. Dort standen bereits zwei Tempelbauten der Juden. Der erste, der salomonische Tempel, wurde vor etwa 3000 Jahren an dieser Stelle errichtet, der zweite Bau entstand vor 2400 Jahren durch die aus Babylon heimgekehrten Gefangenen. Herodes der Große ließ ihn später völlig renovieren und erweitern, um die Gunst der ihm feindlich gesinnten Juden zu gewinnen. Im Jahre 70 n. Chr. ging das herrliche Bauwerk nach Einnahme der Stadt Jerusalem durch die Römer in Flammen auf.

Dem Neubau des dritten Tempels steht jedoch heute noch ein gewichtiges Hindernis im Wege. Genau an der Stelle des früheren Tempels steht eine Moschee der Mohammedaner: der Felsendom, der als das zweitgrößte Heiligtum der Moslems gilt.

Hindernis oder nicht; es ist gewiß, daß der Tempel wieder erbaut werden wird. Die Prophetie verlangt es.

Jesus Christus weissagte ein Ereignis, das eine noch

nie dagewesene Katastrophe für das jüdische Volk kurz vor seiner Wiederkunft heraufbeschwören werde, den »Greuel der Verwüstung«, eine Entweihung des Allerheiligsten des Tempels. Aus dem Buche Daniel geht hervor, daß dies in der Mitte der siebenjährigen Trübsalszeit geschehen wird (Daniel 9, 27).

Die Weissagung Daniels besagt weiter, daß dereinst aus dem Volk, welches den zweiten Tempel zerstörte – das waren die Römer im Jahre 70 n. Chr. – ein Fürst kommen werde, der mit den Juden »einen festen Bund« schließen und ihnen Kultfreiheit zusichern werde. Sie würden dann ihre »Schlacht- und Speisopfer« nach dem Gesetz Moses wieder einführen.

Dieser Fürst muß aus dem wiedererstandenen alten Römischen Reich hervorgehen. Mehr darüber in einem späteren Kapitel.

Der Apostel Paulus spricht in vielen Einzelheiten von der Tätigkeit dieses römischen Fürsten und erläutert auch näher, was es mit dem »Greuel der Verwüstung« auf sich haben wird. Er beschreibt den römischen Fürsten als einen, »der sich wider alles erhebt, was Gott oder anbetungswürdig heißt, so daß er sich sogar in den Tempel Gottes setzt und sich für Gott ausgibt« (2. Thessalonicher 2, 4). Durch diesen Akt bricht der Fürst, der auch der Gesetzlose und der »Antichrist« genannt wird, seinen Bund mit den Juden und setzt dem jüdischen Tempeldienst nach dem Gesetz Moses ein Ende (Daniel 9, 27).

Zusammenfassung

Das Gesagte ließe sich folgendermaßen zusammenfassen: In der letzten Zeit, vor der Wiederkunft Christi, wird der jüdische Tempeldienst mit Schlacht- und Speisopfern nach dem Gesetz Moses wieder eingeführt. Zu einem späteren Zeitpunkt, unmittelbar vor der Wiederkunft des Herrn, wird der Tempel entweiht. Wir müssen den Schluß ziehen, daß der dritte Tempel an der Stelle des alten Tempels in der Altstadt Jerusalems errichtet werden wird. Wenn wir heute in der Endzeit leben, wie der Verfasser dieses Buches annimmt, wird man bald mit dem Neubau des Tempels beginnen. Besteht in Israel überhaupt die Absicht, den Tempel neu zu errichten?

In einem faszinierenden Artikel, der kurz nach der Wiedereinnahme der Jerusalemer Altstadt durch die Israelis entstand, interviewte ein Reporter den berühmten israelischen Historiker Israel Eldad. Er stellte ihm die Frage: »Trägt man sich heute in Israel eigentlich mit dem Gedanken, den Tempel wieder aufzubauen?« Eldad antwortete: »Von der Zeit, als König David zuerst Jerusalem eroberte, bis zum Tempelbau durch König Salomo verging gerade eine Generation. So wird es auch bei uns sein.«

Der Reporter war von der Antwort so überrascht, daß er weiterfragte: »Aber was geschieht mit dem Felsendom, der heute auf dem alten Tempelplatz steht?«

Eldad gab zur Antwort: »Das ist natürlich eine offene Frage. Wer weiß, vielleicht gibt es einmal ein Erdbeben.«

Viele fromme Juden, manche von ihnen in einflußreichen Regierungsämtern, hegen also die Absicht, bei sich bietender Gelegenheit ihren Tempel wieder aufzubauen.

Der Staat Israel ist zu neuem Leben erwacht; nach 2600 Jahren befindet sich die Jerusalemer Altstadt zum erstenmal wieder völlig unter jüdischer Kontrolle, und schon trägt man sich mit dem Gedanken, den alten Tempel wieder zu errichten: alles Zeichen der Endzeit, von denen Jesus spricht.

. . . Und von deinem Wohnsitz, vom äußersten Norden,
wirst du kommen, du und viele Völker mit dir, allesamt hoch
zu Roß, eine große Schar und ein gewaltiges Heer; und du
wirst gegen mein Volk heranziehen wie eine große Wetter-
wolke, um das Land zu bedecken. Am Ende der Tage wird es
geschehen, daß ich dich gegen mein Land zu Felde ziehen
lasse, damit die Heidenvölker mich kennenlernen, wenn ich
mich vor ihren Augen an dir, Gog, als der Heilige erweise.

Hesekiel, 38, 15-16, 650 v. Chr.

KAPITEL 5

RUSSLANDS ROLLE

Dem Staate Israel stehen noch schwere Zeiten bevor, wie das prophetische Wort klar bezeugt. Kurze Zeit nach der Rückkehr der Juden in das Land Palästina wird sich im »äußersten Norden« ein unglaublich böser Feind erheben. Dieser Feind wird aus einem großen Volk bestehen, dem sich eine Reihe von Verbündeten zugesellen werden. Dieser »nördliche Bund« ist von Gott dazu bestimmt, die Welt in den größten aller Weltkriege zu stürzen, der dann bei der Wiederkunft Christi sein Ende finden wird.

Als der Zweite Weltkrieg zu Ende ging, war ich noch ein junger Mensch. Damals erlebte ich, wie man in beständiger Furcht vor einem weiteren Krieg lebte, und ich fragte mich oft, wo das noch alles hinführen werde. In einer Radiosendung hörte ich einmal einen Geistlichen sagen, die Bibel bezeuge, daß der letzte Weltkrieg von Völkern ausgetragen werde, die in der Heiligen Schrift unter den Symbolen eines Adlers und eines Bären aufträten. Das klang für mich interessant. Ich ging der Sache aber nicht weiter nach. Obwohl ich nicht religiös war und auch kein besonderes Interesse an der Bibel hatte, diskutierte ich dennoch oft mit Freunden, die genauso ungläubig waren wie ich, über das Thema »Endzeit«. Ich ahnte damals nicht, *wie* genau die Aussagen der Bibel im Hinblick auf die Völker sind, die dereinst die Hauptrolle im letzten aller Kriege spielen werden.

Ausführlich spricht die Schrift vor allem an drei Stellen von diesem Nordbund, nämlich in Hesekiel 38 und 39, in Daniel 11, 40-45 und in Joel 2, 20. Es ist von äußerster Wichtigkeit, die Zeit zu bestimmen, auf die sich diese prophetischen Stellen beziehen, und zu erkennen, wer die führende Rolle bei dem besagten Bund spielen wird und wer die Verbündeten sein werden. Anschließend werden wir sehen, was dieser Nordbund unternehmen und wie er enden wird.

Wann?

In der Prophetie des Hesekiel finden sich bestimmte Anhaltspunkte, mit deren Hilfe wir die Zeit, in der sich die geweissagten Ereignisse abspielen werden, bestimmen können.

Erstens: Mehrmals ist in der Prophetie Hesekiels vom »Ende der Jahre« (Hesekiel 38, 8) und vom »Ende der Tage« (Hesekiel 38, 16) die Rede. Dies sind biblische Ausdrücke, die die Zeit unmittelbar vor der Wiederkunft des Messias bezeichnen.

Zweitens: Diese Aussagen stehen in einem Textzusammenhang, der die Ereignisse in einer ganz bestimmten zeitlichen Reihenfolge schildert. In den vorangehenden Kapiteln 36 und 37 ist von der endgültigen Wiederherstellung des Landes und Volkes Israel die Rede. Diese Wiederherstellung hat zwei Kennzeichen, die zeigen, daß der Prophet nicht die Rückkehr der Juden aus der babylonischen Gefangenschaft gemeint haben kann.

Erstens heißt es, daß die Juden aus einer langandauernden, weltweiten Zerstreuung in ihr Land zurückkehren. (Die babylonische Gefangenschaft war weder sehr lang noch weltweit.) Zweitens wird gesagt, daß diese Wiederherstellung unmittelbar vor der Trübsalszeit beginnt und mit ihr verbunden sein wird. Die Ereignisse werden zu einer großen geistlichen Wiedergeburt des Volkes und zur Wiederkunft Jesu Christi, des Messias, führen, der sein Volk von seinen Feinden befreien wird.

Hesekiel schreibt von der leiblichen Wiederherstellung des Volkes mit den Worten: »Ihr aber, ihr Berge Israels, sollt eure Zweige sprossen lassen und eure Früchte tragen für mein Volk Israel, denn gar bald werden sie heimkehren!« (Hesekiel 36, 8).

Und an anderer Stelle: »Ich will euch also aus den Heidenvölkern herausholen und euch aus allen Ländern sammeln und euch in euer Land zurückbringen« (Hesekiel 36, 24).

Dann beschreibt Hesekiel die geistliche Umkehr, die irgendwann nach der politischen Wiederherstellung des Volkes stattfinden soll: »Dann will ich reines Wasser über euch sprengen, damit ihr rein werdet; von all euren Befleckungen und von all eurem Götzendienst will ich euch reinigen. Und ich will euch ein neues Herz verleihen und euch einen neuen Geist eingeben: Das steinerne Herz will ich aus eurer Brust herausnehmen und euch dafür ein Herz von Fleisch verleihen. Ich will meinen Geist in euer Inneres geben und will solche Leute aus euch machen, die nach meinen Satzungen wandeln« (Hesekiel 36, 25-27).

Das Gleichnis in Hesekiel 37 beschreibt die gleichen Ereignisse in dieser Reihenfolge: zuerst die leibliche Wiedergeburt des Volkes. Hesekiel erklärt die prophetische Vision und sagt, die »Gebeine sind das ganze Haus Israel, das unter allen Völkern der Erde zerstreut ist« (37, 11). Das Bild von der Belebung der Totengebeine bedeutet die Sammlung des Volkes und seine Rückführung in die Heimat. Ist das nicht ein faszinierendes Bild?

Die Vision Hesekiels geht jedoch noch über das rein Leibliche hinaus. Er sagt: »... aber Lebensgeist war noch nicht in ihnen« (Hesekiel 37, 8). Dies bedeutet, daß das echte geistliche Leben erst mit der Wiedergeburt nach der nationalen Wiederherstellung entstehen wird.

Die leibliche und geistliche Erneuerung des Volkes Israel ist der Beginn des ewigen Königreiches, das der verheißene Messias errichten wird. Bei Hesekiel heißt es: »Dann will ich auch einen Friedensbund mit ihnen schließen, ein ewiger Bund soll mit ihnen bestehen; und ich will ... mein Heiligtum in ihrer Mitte aufrichten für ewig« (Hesekiel 37, 26).

Man studiere Hesekiel 38 und 39. Hier tritt uns der bedeutsamste Teil der Ereignisse entgegen. Diese Kapitel zeigen mit Sicherheit, daß nach der Rückführung der Juden in ihre Heimat – aber noch vor der geistlichen Wiedergeburt des Volkes – der große Feind aus dem Norden in das Land einfallen wird (Hesekiel 38, 8-16). Dann wird Gott die Eindringlinge auf übernatürliche Weise strafen; durch das sichtbare Eingreifen Gottes wird das Volk Israel dann zum Glauben an seinen wahren Messias, Jesus Christus, gelangen (Hesekiel 39, 6-8).

Der Prophet Sacharja beschreibt mit eindruckvollen

Worten diese Szene, wie Gott sie sieht: »Sodann will ich über das Haus Davids und über die Bewohner Jerusalems den Geist der Gnade und der Bitte um Gnade ausgießen, so daß sie auf den hinblicken werden, den sie durchbohrt haben und um ihn wehklagen, wie man um den einzigen Sohn wehklagt, und bitterlich Leid um ihn tragen, wie man um den Tod des Erstgeborenen Leid trägt . . .« (Sacharja 12, 10).

Die Hesekiel-Kapitel 40-48 sprechen von einer neuen Form der Gottesanbetung, die nach der Wiederkunft des Messias im Reiche Gottes eingeführt werden wird.

Seit der Errichtung des Staates Israel im Jahre 1948 haben wir in den bedeutsamsten Jahren der prophetischen Geschichte gelebt. Wir leben in der Zeit, die Hesekiel in den Kapiteln 38 und 39 seines Buches vorausgesagt hat.

Bereits im Jahre 1854 faßte ein Gelehrter namens Chamberlain das eben Gesagte wie folgt zusammen: »Aus Hesekiel Kapitel 38 läßt sich ableiten, daß die Wiederherstellung Israels zunächst langsam und auf friedliche Weise vor sich gehen wird, vielleicht sogar mit Hilfe und unter dem Schutz fremder Mächte. Die Juden werden zurückkehren und das ganze Land in Besitz nehmen, sowohl Städte als Dörfer; sie werden sich niederlassen und zu Wohlstand gelangen, ehe sich der große Bund der Nordvölker gegen sie bilden wird.«

Man beachte, daß Chamberlain dies vor mehr als hundert Jahren niederschrieb; lange, ehe an eine Neugründung eines jüdischen Staates »mit Hilfe und unter dem Schutz fremder Mächte« zu denken war.

Wer ist der Führer des Nordbundes?

Lange, ehe die aktuellen Ereignisse die Ausleger in ihrer Deutung beeinflussen konnten, erkannte man, daß sich die Weissagung Hesekiels bezüglich des Führers des Nordbundes auf Rußland beziehen müsse. Dr. John Cumming schrieb bereits im Jahre 1864: »Ich bin der Auffassung, daß der König des Nordens der Autokrat Rußland sein wird ... daß Rußland eine sehr bedeutende Rolle im prophetischen Wort einnimmt, wird fast von allen Auslegern der Prophetie angenommen.«

Der Beweis

Hesekiel nennt den Führer des Nordbundes »Gog, im Lande Magog, den Fürsten von Rosch, Mesech und Tubal« (Hesekiel 38, 2). Der Prophet spricht hier von der völkischen Herkunft der stärksten Nation des Nordbundes.

Wenn wir die Wanderungen der genannten Stämme sorgsam verfolgen, müssen wir auf das heutige Volk stoßen, das von ihnen abstammt.

Gog ist der symbolische Name für den Führer des Nordbundes, Magog ist das Land. Gog wird auch der Fürst der alten Stämme Rosch, Mesech und Tubal genannt. Das 10. Kapitel des 1. Buches Mose wird von den Bibelgelehrten auf die »Völkertafel« bezeichnet. Hier begegnen wir bereits den oben erwähnten Namen, und zwar in den Namen der Enkel Noahs, d. h. der Söhne Japhets. Nur Rosch wird hier nicht erwähnt (1. Mose 10, 1-2). Magog ist der zweite Sohn, Tubal der fünfte und Mesech der sechste Sohn Japhets, des Sohnes Noahs. Der Leser stellt jetzt vielleicht die berechtigte Frage: Was in aller Welt sollen diese alten Namen kleiner orientalischer Stämme längst vergangener Zeiten mit Rußland zu tun haben; vielleicht stimmen sie nicht einmal, oder gibt es etwa geschichtliche Beweise für ihre Echtheit? Lassen Sie sich vom Verfasser versichern, daß diese Namen echt sind. Sie tauchen in vielen frühen Berichten des Altertums auf, wie die archäologische Forschung erwiesen hat. Der Grund hierfür liegt darin, daß die Nachkommen die Namen ihrer Vorväter als Stammesnamen annahmen. Die Familie zum Beispiel, die ihre Herkunft von Magog ableitete, wurde als der Stamm Magog bekannt und so weiter.

Ein Kapitel Völkerkunde

Auf den folgenden Seiten soll das eben Gesagte aus der alten Geschichte dokumentarisch belegt werden. Leider finden manche solche Themen »langweilig«. Sollte das der Fall sein, so können Sie die nächsten Seiten kurz überfliegen. Andere werden es jedoch begrüßen, wenn wir hier etwas näher auf diese Dinge eingehen.

Bei Herodot, einem Geschichtsschreiber aus dem 5. Jahrhundert vor Christus, finden sich bereits die Namen Mesech und Tubal. Er identifiziert sie mit den Sarmaten und Moschovitern, die zu jener Zeit in der alten Provinz Pontus im Norden Kleinasiens lebten.

Josephus, ein jüdischer Historiker aus dem ersten Jahrhundert nach Christus, sagt, daß die Völker, die zu seiner Zeit als die Moschoviter und Thobeliter bekannt waren, ihre Abkunft von ihren Stammvätern Mesech und Tubal herleiten. Er schreibt: »Bei den Griechen heißen die vom Stamme Magog ›Skythen‹.« Er sagt weiter, daß diese Völker in den nördlichen Gebieten oberhalb des Kaukasusgebirges lebten.

Plinius, der berühmte römische Schriftsteller, ebenfalls aus dem ersten Jahrhundert nach Christus, schreibt: »Hierapolis, das von den Skythen eingenommen wurde, nannte man danach ›Magog‹.« Hier sehen wir, wie das gefürchtete barbarische Nomadenvolk der Skythen mit seinem alten Stammesnamen identifiziert wird. Jedes gute Geschichtsbuch zeigt, daß die Nachfahren der Skythen heute weite Teile der Sowjetunion bewohnen.

Wilhelm Gesenius, ein großer hebräischer Gelehrter des frühen 19. Jahrhunderts, schreibt in seinem unübertroffenen hebräischen Lexikon: »Mesech war der Begründer der Moschi, eines barbarischen Volkes, das in den Moschi-Bergen wohnte.«

Der Gelehrte sagt dann weiter, daß das griechische Wort »Moschi« von dem hebräischen Namen Mesech abgeleitet sei und der Städtename Moskau davon herrühre. Über Tubal schreibt er: »Tubal ist der Sohn Raphets, des Stammvaters der Tibereni, ein Volk, das am Schwarzen Meer westlich der Moschi wohnte.«

Gesenius stellt fest, daß von den genannten Völkern zweifellos die heutigen Russen abstammen.

Es bleibt noch ein Name, der genauer betrachtet werden muß. Es ist das hebräische Wort »Rosch«, was soviel bedeutet wie »Haupt«, »Spitze« von etwas. Die meisten Fachgelehrten sind der Ansicht, daß es im Sinne eines Eigennamens und nicht als Beiwort zu dem Hauptwort »Fürst« gebraucht wird.

Der deutsche Gelehrte Dr. Keil sagt nach einer sorgfältig vorgenommenen grammatikalischen Analyse, daß man es als Eigenname, das heißt mit »Rosch« wiedergeben sollte. Er schreibt: »Die byzantinischen und arabischen Schriftsteller erwähnen häufig ein Volk namens Ros und Rus, das im Taurusgebirge wohnte und zu den Skythen gerechnet wurde.«

Derselbe Gesenius schreibt in seinem hebräischen Lexikon: »Rosch war die Bezeichnung für die damaligen Stämme nördlich des Taurusgebirges in der Nähe der Wolga.«

Er schließt mit der Feststellung, daß wir in diesem Namen und Stamm die erste historische Spur der Rus oder Russen vor uns haben.

Angesichts dieses reichlichen Beweismaterials ist es kein Wunder, daß es schon lange Zeit, ehe Rußland zu seiner heutigen Machtstellung gelangte, Männer gab, die die Rolle dieses Landes in der Geschichte voraussahen. Einer von ihnen war Bischof Lowth aus England. Er schrieb im Jahre 1710: »Rosch, als Eigenname betrachtet, bedeutet im Buche Hesekiel die Bewohner von Skythien; von diesen Rosch leiten die heutigen Russen ihren Namen ab.«

Im 18. und 19. Jahrhundert wurden Männer wie Bischof Lowth, Dr. Cumming und Rev. Chamberlain von vielen ihrer Zeitgenossen lächerlich gemacht. Wer hätte sich auch damals ein Land vorstellen können, das ganz auf den Atheismus festgelegt ist, wie wir es heute in Rußland vor uns haben?

Wo befindet sich »der äußerste Norden«?

Der abschließende Beweis zur Erkennung des Führers des Nordbundes liegt in seiner geographischen Lage von Israel aus gesehen begründet. Hesekiel sagt dreimal mit Nachdruck, daß dieser große Feind Israels vom »äußersten Norden« kommen werde. Die Stellen finden sich in Hesekiel 38, 6 und 15 sowie in 39, 2. Nimmt man sich einen Globus vor und prüft nach, welches Land sich von Israel aus betrachtet im äußersten Norden befindet, wird man feststellen, daß nur Rußland gemeint sein kann. »So hat der Herr [zu Gog] gesprochen: Bist du es nicht, auf den ich in früheren Tagen durch den Mund meiner Knechte, der Propheten Israels, hingewiesen habe, die zu jener Zeit immer wieder geweissagt haben, daß ich dich gegen sie heranführen würde?« (Hesekiel 38, 17). Die

Antwort auf diese Frage, die Gott durch Hesekiel Gog entgegenschleudert, dürfte in unserer Zeit nicht allzu schwer zu verstehen sein. Die Feststellung General Dayans, der nächste Krieg Israels werde nicht gegen die Araber, sondern gegen die Russen geführt werden, gewinnt, von dieser Seite aus betrachtet, eine noch viel tiefere Bedeutung.

Abschlußprüfung

Überlegen wir einen Augenblick, wie erstaunlich das alles klingt. Wie konnte Hesekiel vor 2600 Jahren den militärischen Aufstieg Rußlands zu seiner heutigen Machtstellung voraussagen? Wer konnte von den Plänen dieser Großmacht mit dem Mittleren Osten wissen, ganz zu schweigen von der Tatsache, daß Rußland ein unversöhnlicher Feind Israels ist? Wie konnten Männer wie Chamberlain und Cumming schon vor 100 Jahren wissen, daß Rußland einmal eine Bedrohung für die ganze Welt darstellen werde?

Die Antwort ist, so scheint es dem Verfasser, nicht schwer zu geben. Hesekiel erweist sich als ein echter Prophet, er besteht die »Prophetenprobe«. Er war vom Geist des lebendigen Gottes geleitet. Der Apostel Petrus bezeugt in seinem zweiten Brief, den er kurz vor seiner Hinrichtung schrieb, die Quelle der Weisheit und Einsicht aller echten Propheten. Zuerst sagt er, woher die Prophetie nicht stammt: »Indem ihr dies zuerst wisset, daß keine Weissagung der Schrift von eigener Auslegung ist« (2. Petrus 1, 20).

Mit anderen Worten: Die Propheten gaben nicht ihre eigenen Meinungen und Wunschträume wieder.

Dann sagt Petrus, woher die Prophetie wirklich stammt: »Denn die Weissagung wurde niemals durch den

Willen des Menschen hervorgebracht, sondern heilige Männer Gottes redeten, getrieben vom Heiligen Geist« (2. Petrus 1, 21).

Angesichts des Todes sagt ein Mensch gewöhnlich die Dinge, die ihm am wichtigsten sind. Petrus hielt die Zuverlässigkeit und Bedeutung der Weissagung für das Wichtigste. Er spricht die ernste Warnung aus, daß in den »letzten Zeiten« religiöse Führer in der Gemeinde aufstehen und das prophetische Wort leugnen, ja sogar lächerlich machen würden (2. Petrus 2, 1-3; 3, 1-18).

Wer sind die Verbündeten?

Hesekiel zählt einen Teil der mit Rußland verbündeten Völker mit ihren damaligen Namen auf (Hesekiel 38, 5 und 6).

Persien

Übereinstimmung herrscht allgemein darüber, welcher heutige Staat seine Herkunft von dem alten Persien herleitet: der Iran. Das ist bedeutsam, weil von Persien vorausgesagt wird, daß es sich in seiner Feindschaft gegen Israel den Arabern anschließen wird. Zur Zeit suchen die Russen im Iran durch verschiedene Hilfsangebote Fuß zu fassen. Wenn es dereinst zu der von Hesekiel angekündigten Großinvasion kommen wird, braucht Rußland den Iran unbedingt zum Verbündeten. Es ist viel einfacher, mit einer großen Streitmacht das an den Iran angrenzende Elbrusgebirge zu überqueren als den unwegsamen Kaukasus und die Türkei. Trotzdem wird man

wohl beide Routen für die Truppen benötigen. Man beachte einmal aufmerksam die Politik des Iran im Blick
auf Rußland und die Vereinigte Arabische Republik.
Der Verfasser glaubt, daß dort bald Bedeutsames geschehen wird.

Äthiopien oder Kusch – die farbigen afrikanischen Völker

Äthiopien ist eine Übersetzung des hebräischen Wortes
»Kusch«. Kusch war der erste Sohn Hams, eines Sohnes
Noahs.

Aus 1. Mose 2, 13 geht hervor, daß sich »das Land
Kusch« ursprünglich in einem Gebiet nahe der Flüsse
Euphrat und Tigris befand. Der Verfasser hat die Fachli-
teratur über dieses Thema eingehend geprüft und wieder
einmal festgestellt, warum Gesenius als einer der großen
Historiker gilt. Gesenius faßte die bekannten Tatsachen
folgendermaßen zusammen: 1. Die Kuschiten waren Neger. 2. Sie wanderten zunächst nach Arabien und dann
durch das Rote Meer in ein Gebiet südlich von Ägypten.
3. Alle Neger Afrikas stammen von den Kuschiten ab.

Gesenius bemerkt: »In der Tat müssen alle von Kusch
abstammenden und in 1. Mose 10, 7 aufgeführten Völker
in Afrika gesucht werden.«

In der King-James-Bibel wird das Wort »Kusch« sie-
benundzwanzigmal mit Äthiopien übersetzt, was etwas
irreführend ist. Es ist sicher, daß die alten Äthiopier (das
moderne Abessinien) von den Kuschiten abstammen,
aber, wie die Geschichte erweist, *nicht* nur diese.

Die klare Schlußfolgerung daraus ist, daß viele afrikanische Staaten geeint zusammen mit den Russen dereinst
gegen Israel vorgehen werden. Dies steht auch in Einklang mit der Danielschen Schilderung dieses Einfalls

(Daniel 11, 36-45). Die russische Streitmacht wird »der König des Nordens« genannt, und der Machtbereich, zu dem die afrikanische (kuschitische) Streitmacht gehören wird, heißt »König des Südens«. Afrika ist heute der fruchtbarste Nährboden für den Kommunismus. Wenn nicht alles täuscht und die Entwicklung so weitergeht wie bisher, wird es einmal ganz dem Kommunismus zufallen.

Libyen oder Put – die afrikanischen Völker arabischer Herkunft

Libyen ist die Übersetzung des hebräischen Wortes »Put«. Hier liegt das Problem ähnlich wie bei Kusch. Put war der dritte Sohn Hams (1. Mose 10, 6). Die Nachkommen Puts wanderten in das Land westlich von Ägypten aus und wurden das Stammvolk der nordafrikanischen Völker arabischer Herkunft in Libyen, Algerien, Tunesien und Marokko. Die erste Niederlassung Puts wird von den alten Historikern Josephus und Plinius »Libyen« genannt. Die griechische Übersetzung des Alten Testaments, die um 165 v. Chr. entstand, übersetzt Put bereits mit Libyen.

Die Schlußfolgerung daraus ist, daß Rußlands Verbündeter Put sicher mehr umfassen wird, als was man heute unter »Libyen« versteht. Das Gebiet Nordafrikas wird immer sowjetfreundlicher. Algerien scheint bereits kommunistisch zu sein und ergreift meist die Partei Rußlands.

Wenn wir in den kommenden Jahren dieses Gebiet weiter beobachten, werden wir Anzeichen dafür finden, daß es sich der südlichen Machtsphäre, dem »König des Südens«, zuwendet. Später wird dieser zusammen mit dem König des Nordens Israel angreifen.

Gomer und alle seine Horden – die Länder hinter dem Eisernen Vorhang

Gomer war der älteste Sohn Japhets und der Vater von Aschkenas, Riphat und Togarma. Die von diesen abstammenden Völker stellen einen sehr wichtigen Teil der zukünftigen russischen Invasionstruppen. Dr. Young sagt von Gomer und seinen Horden, wobei er sich auf den besten der allerneuesten archäologischen Funde beruft: »Sie siedelten nördlich des Schwarzen Meeres und breiteten sich dann südwärts und westwärts bis zu den äußersten Grenzen Europas aus.«

Gesenius meint, daß Aschkenas ebenfalls zu den Horden Gomers gehören wird: »Aschkenas ist ein Eigenname für ein Gebiet und ein Volk im Norden Asiens, das von den Kimmerern abstammt, dem alten Volk Gomer. Die modernen Juden verstehen unter Gomer Deutschland.«

Josephus nannte die Söhne von Aschkenas »die Reginer«. Schlägt man eine Karte des Römerreiches auf, so findet man ihren Wohnsitz im Gebiet des heutigen Polens, der Tschechoslowakei und Ostdeutschlands bis zu den Ufern der Donau. Der jüdische Talmud bestätigt dieses geographische Bild.

Wir schließen daraus, daß Gomer und seine Horden Völkerschaften hinter dem Eisernen Vorhang in Osteuropa sind. Dies schließt Ostdeutschland und die slowakischen Länder mit ein.

Togarma und alle seine Horden – Südrußland und die Kosaken

Aus Hesekiel 38, 6 geht hervor, daß »das Haus Togarma und alle seine Scharen« aus dem äußersten Norden kommen werden. Gesenius glaubt, daß es sich bei Togarma um »ein nördliches Volk und Land handelt, das von Gomer abstammte und über sehr viele Pferde und Maulesel verfügte«. Einige der Söhne Togarmas begründeten Armenien.

Dr. Baumann bringt einige der Söhne Togarmas mit den turkmenischen Stämmen Zentralasiens in Verbindung. Das wäre eine Erklärung für die Feststellung: ». . . aus dem äußersten Norden mit all seinen Scharen«.

Das oben Gesagte läßt den Schluß zu, daß Togarma zu dem heutigen Rußland gehört und wahrscheinlich das Stammvolk der heutigen Kosaken und anderer Völker des östlichen Rußland ist. Interessant in diesem Zusammenhang ist, daß die Kosaken von jeher besonders gute Pferdezüchter waren und die beste Kavallerie der Welt bildeten. Auch heute sollen sie noch über mehrere Kavalleriedivisionen verfügen. Einige Militärfachleute sind der Ansicht, daß bei dem Überfall auf Israel tatsächlich die Kavallerie eine Rolle spielen wird, wie es von Hesekiel und anderen Propheten wörtlich vorausgesagt wurde. Im Koreakrieg haben die Rotchinesen bewiesen, daß in schwierigem bergigem Gelände die Pferde immer noch eine wichtige Rolle spielen, wenn es darum geht, eine große Streitmacht in ein Kampfgebiet zu bringen.

Ist es nicht ein auffälliges Zusammentreffen, daß sich solch schwer zugängliches Gelände zwischen Rußland und Israel befindet?

Viele Völker sind mit dir

Hesekiel sagt hier, daß er keine vollständige Aufzählung der Verbündeten gegeben hat. Diejenigen, die genannt sind, genügen, um klar zu zeigen, daß es sich um ein riesiges Heer handeln wird.

79

Hesekiel wendet sich an die Führungmacht Rußland und befiehlt: » . . . halte dich bereit, du mit all deinen Scharen, die sich bei dir gesammelt haben, und sei du ihr Anführer« (Hesekiel 38, 7).

Mit anderen Worten, Rußland wird seine Verbündeten mit Waffen versorgen und den Befehl übernehmen.

Sollte der Leser an dem Gesagten Zweifel haben, so möge er auf folgendes achten: Fast alle Völkerschaften, von denen geweissagt ist, daß sie dereinst zu jener großen Armee gehören werden, sind bereits heute mit Waffen ausgerüstet, die in Rußland entwickelt und hergestellt wurden.

Welche Absicht verfolgst du, Gog?

Wir haben gesagt, daß Rußland alle seine Verbündeten mit Waffen ausrüsten wird. Zusammen mit ihnen wird es das wiederhergestellte Israel angreifen (Hesekiel 38, 15-16). Das Heer wird jedoch durch ein übernatürliches Ereignis völlig vernichtet werden. Israel wird in diesem Geschehen das direkte Eingreifen Gottes sehen. Dann werden viele in Israel an ihren wahren Messias glauben. Zwischen dem russischen Nordbund und seinen Widersachern wird es zu einem Krieg kommen, der in den letzten aller Weltkriege einmünden wird, in den alle Völker verwickelt sein werden.

Dann wird es geschehen: Christus wird wiederkommen und die Menschen vor der Selbstvernichtung bewahren.

Unser Hauptziel besteht in der Vernichtung Israels.

Präsident Nasser, Mai 1967

Sie sagen: Kommt, wir wollen sie vertilgen als Volk: Des Namens Israel soll man fürder nicht gedenken!

Psalm 83, 5, geweissagt etwa 1000 v. Chr.

KAPITEL 6

DIE ARABISCHEN VÖLKER

Wenn das Telefon klingelt, und es ist einer am Apparat, von dem wir gerade noch geredet haben, sagen wir meist: »Was für ein Zufall! Gerade haben wir noch von dir gesprochen!« Oder wenn wir unsere Post öffnen und halten plötzlich einen Scheck in der Hand, mit dem wir eine dringend fällige Zahlung vornehmen können, so freuen wir uns über einen solchen Zufall.

Aber was der Verfasser gerade zu der Zeit, als er mit diesem Kapitel begann, erlebte, läßt sich wohl kaum noch als ein »Zufall« bezeichnen, sondern fügt sich wunderbar in das prophetische Bild ein, das uns in der Bibel für unsere Zeit gegeben wird.

Im letzten Kapitel hatten wir uns mit einem Teil der Verbündeten beschäftigt, die zur russischen Invasionsstreitmacht gehören werden, die einmal in Israel einfallen wird. In diesem Kapitel soll es um die arabischen Völker gehen. Aus der Bibel ist ersichtlich, daß die arabischen Völker mit den Völkern des farbigen Afrika einen Bund schließen werden. Diese Machtsphäre heißt in der Bibel »König des Südens«. Zusammen mit Rußland, dem

»König des Nordens«, wird der »König des Südens« mit seinen Verbündeten gegen Israel heranziehen.

Nun, worauf wollen wir hinaus? Wo ist der »Zufall«? Als wir uns gerade mit der gegenwärtigen Situation des führenden arabischen Staates, Ägypten, beschäftigten, erfuhren wir, daß an einer Universität, kaum zehn Minuten von uns entfernt, eine »Arabische Woche« stattfand. Das erschien uns wie eine höhere Fügung. Diese Veranstaltung mußten wir unbedingt besuchen.

Auf dem Universitätsgelände

Als wir das Universitätsgelände betraten, herrschte dort ein reges Treiben. Westen und Naher Osten schienen eine Allianz eingegangen zu sein. Viele der Studenten waren arabisch gekleidet oder trugen die arabische Kopfbedeckung, womit sie bekunden wollten, wem ihre Sympathien galten. Aus den Lautsprechern erklang fremdartige orientalische Musik.

Tische mit Flugschriften darauf waren aufgestellt worden, und wir wurden buchstäblich mit Propagandamaterial eingedeckt. Hier wurde offen für die arabische Sache geworben, das heißt für die Befreiung Palästinas von den Israelis.

Binnen kurzem waren mein Begleiter und ich reichlich mit Unterlagen versorgt, die eindeutig bewiesen, wer von den Großmächten die arabischen Interessen vertritt: die Sowjetunion. Das Erstaunliche daran ist, daß dies schon vor 2600 Jahren von den Propheten vorhergesehen wurde.

Die »Arabische Woche« war nur dazu veranstaltet worden, um für die Palästinensische Revolution zu werben. Auf den Flugblättern hieß es: »Die Palästinensische Befreiungsfront besitzt die moralische Unterstützung der

82

übrigen revolutionären Bewegungen in der Welt. Die arabische Studentenbewegung steht geschlossen hinter der Revolution. Die arabische Intelligenz unterstützt zusammen mit vielen Geistesschaffenden in der ganzen Welt die Palästinensische Befreiungsfront.«

Diese revolutionäre Bewegung ist Teil der kommunistischen Weltbewegung, die in vielen Ländern sogenannte Befreiungskriege tatkräftig unterstützt.

In unserer Untersuchung des Staatenbundes unter dem prophetischen Begriff »König des Südens« erkannten wir ein wichtiges Merkmal in den Beziehungen verschiedener afrikanischer Staaten zu den Arabern. Sie alle haben das erklärte Ziel, Palästina von den Israelis zu befreien. Es ist uns eine weitere Bestätigung für die Echtheit der alttestamentlichen Prophetie.

Der Hauptakteur: Ägypten

Es ist offensichtlich, daß die führende Macht in der arabischen Welt Ägypten ist. Ägypten nimmt auf der prophetischen Landkarte eine strategisch wichtige Lage ein. Darin liegt auch der Grund, warum wir die politischen Ereignisse im Nahen Osten genauestens verfolgen sollten.

Ägypten liegt am Südende der »Landbrücke«, die Europa, Asien und Afrika miteinander verbindet. Es handelt sich dabei um ein Gebiet, das zu allen Zeiten in der Geschichte seiner Schlüsselstellung wegen hart umkämpfter Boden war; es wird noch einmal eine sehr wichtige Rolle zu spielen haben, was wir in dem Kapitel über den »Dritten Weltkrieg« näher belegen wollen. Die günstige Lage Ägyptens macht es für seine Führungsrolle in der arabischen Welt besonders geeignet.

Die große Bevölkerungszahl, 150 000 Mann Militär,

die verhältnismäßig weit fortgeschrittene Industrialisierung und der von Präsident Nasser heraufbeschworene militante arabische Nationalismus machen das Land zum politischen, geistigen und kulturellen Mittelpunkt der Afro-Arabischen Welt.

Und was ist von Nasser geblieben? Er wurde zum Symbol, und alle Befreiungskämpfer, die ihre Länder vom westlichen Imperialismus lösen wollen, sehen in ihm ein Vorbild. Das Manifest Nassers, »Die Philosophie der Revolution«, gibt uns Einsicht in die mögliche Weiterentwicklung der arabisch-afrikanischen Situation.

Nasser sah die Welt als eine Bühne an, und Ägypten war für ihn einer der Hauptdarsteller. Drei Einflußsphären, die er in Form dreier konzentrischer Kreise darstellte, sind für seine Politik wichtig gewesen. Der innere Kreis umschließt das arabische Gebiet; hier ist das Hauptziel aller Anstrengungen die arabische Einheit. Der nächstgrößere Kreis umfaßt ganz Afrika; hier spielt sich Nassers Ansicht nach der Kampf der »weißen Imperialisten« und der Neger um den Besitz der Reichtümer des Kontinents ab. Die dritte Sphäre bedeutet die gesamte Welt des Islam, die ebenfalls unter der Bedrohung des Imperialismus steht. In seinen letzten Lebensjahren zählte Nasser zu diesem Bereich alle nichtwestlichen Länder sowie die westlichen Entwicklungsländer.

Nasser hatte sich zeit seines Lebens nicht von seinem erklärten Ziel, der Schaffung eines »Arabischen Sozialismus«, abbringen lassen. Wiederholt äußerte er, Könige, Scheichs, Sultäne sowie das gesamte Gefüge des Kapitalismus müßten ausgerottet werden. Das klang wie Musik in den Ohren der einfachen Fellachen, die einer jahrhundertelangen Unterdrückung ausgesetzt waren. Nasser glaubte, alle Araber durch ein dreifaches Band zusammenfassen zu können: durch das »Evangelium des Materialismus«, die gemeinsame Volkszugehörigkeit und die islamische Religion.

Er sah sein Volk gern in der Führungsrolle einer dritten Großmacht, der alle Entwicklungsländer angehören sollten. Sich selbst schrieb er die Rolle des großen Einigers des schwarzen Afrika und der arabischen Welt zu.

Betrachtet man die Pläne, Träume und Ziele dieses Diktators, wird einem von neuem klar, daß sich alle Diktatoren alter und neuer Prägung stets gleich geblieben sind: An erster Stelle stand ihnen immer die Macht; das Wohl des Volkes spielte stets eine untergeordnete Rolle.

Wie man sich Feinde macht und Menschen beeinflußt

Nasser verfing sich in einer Fußangel, die bisher noch allen arabischen Führern zum Verhängnis wurde. Es scheint fast, daß von den Arabern nur ein solcher Führer akzeptiert wird, der ständig den Haß gegen den Staat Israel schürt. Wer die geschicktesten und blutrünstigsten Versprechungen macht im Blick auf die Ausradierung Israels, ist Nummer eins in der Hitparade. Jedesmal, wenn einer der arabischen Staatsmänner seinen Einfluß dahinschwinden sieht, führt er ein neues, großangelegtes Propagandaprogramm ein, in dem lautstark die Notwendigkeit der Vernichtung des Staates Israel gefordert wird. So jedenfalls sehen es viele Nahost-Beobachter.

Die meisten Experten in Nahostfragen glauben, daß Nasser damals in den Junikrieg von 1967 sozusagen hineingestolpert ist, ohne es recht zu wollen. Ihm war klar, daß seine Führungsrolle im arabischen Lager auf dem Spiel stand, wenn andere, aggressivere arabische Staatsmänner stärker gegen Israel Front machten als er. Es wird berichtet, daß er überhaupt nicht damit gerechnet hatte, daß U Thant so schnell seiner Forderung, die UN-

Beobachter aus der Pufferzone am Suezkanal abzuziehen, nachkommen würde. Er habe der neugeschaffenen Situation zunächst unvorbereitet gegenübergestanden. Schließlich blieb ihm nichts anderes übrig, als seine lautstarken Drohungen wahr zu machen.

Israel erkannte klar die Gefahr eines ägyptischen Aufmarsches auf der Sinai-Halbinsel. Es sah auch die Bedrohung, die aus der Blockade der Durchfahrt durch den Golf von Akaba erwuchs. Außerdem zeichnete sich schnell eine panarabische Bewegung ab, was bedeutete, daß eine riesige feindliche Streitmacht das Land von drei Seiten angreifen würde. Für die Israelis gab es nur einen Ausweg: die Initiative zu ergreifen und zuerst anzugreifen; eine andere Chance zum Überleben gab es nicht.

Was anfangs wie ein kühner Propagandatrick von seiten Nassers aussah und dazu bestimmt war, die Israelis in den Augen der Welt unmöglich zu machen, nämlich die Blockade des Golfs von Akaba, endete in einem Fiasko für die arabische Sache: Nasser führte die Welt an den Rand eines Krieges.

Der aufgeblasene Stolz und glühende Haß der Araber gegenüber Israel macht den Nahen Osten zu einem ständigen gefährlichen Krisenherd.

Im Dezember 1968 erklärte der Botschafter Israels in den USA, Yitzhat Rabin, ein führender Stratege des Sechstagekrieges von 1967, er sehe für die nahe Zukunft wenig Möglichkeiten zur Beilegung des Nahostkonflikts.

U Thant charakterisiert die ägyptisch-israelische Situation so: »Noch nie haben es die Vereinten Nationen bei ihren Friedensbemühungen erlebt, daß ein Waffenstillstands-Abkommen, dem beide Seiten offiziell zugestimmt hatten, so völlig und andauernd mißachtet worden ist.« U Thant fährt dann fort, er habe zeitweilig erwogen, wegen der durch die Mißachtung des Abkommens entstandenen gefährlichen Lage alle Waffenstillstands-Beobachter abzuziehen.

Mittlerweile hat Präsident Nasser der Tod ereilt, und ein anderer Mann hat in Ägypten die Macht übernommen. Der vorgezeichnete Kurs der ägyptischen Politik wird sich in seinen Grundzügen jedoch wohl kaum ändern. Es wird weiter zu Konflikten im Nahen Osten kommen, und die Weltmächte werden sich weiterhin einmischen wie bisher.

Der König des Südens

Die Ereignisse im Nahen Osten, wie wir sie in den vergangenen Jahren alle erlebt haben, sind die Voraussetzungen für den letzten Akt des großen Dramas, dessen Höhepunkt dereinst die sichtbare Wiederkunft des Messias auf Erden sein wird.

Wir wollen hier nicht versuchen, in die Tagesereignisse Dinge hineinzulesen, die unsere Theorien untermauern sollen. Das haben wir gar nicht nötig! Wir brauchen nur die Heilige Schrift in ihrem richtigen Zusammenhang zu lesen und aufmerksam zu beobachten; dann erleben wir, wie einzelne Menschen und ganze Völker, politische Bewegungen und Länder die ihnen von Gott zugedachten Rollen spielen, wie es die Propheten Gottes vorhergesehen haben.

Schon vor vielen Jahrhunderten nannte der Prophet Daniel Äpypten den »König des Südens«. Dies ist nachzulesen in Daniel, Kapitel 11. Daniel spricht von einer langen Zeit des Krieges zwischen Ägypten unter der Ptolemäischen Dynastie und Syrien unter den Seleukiden.

In Kapitel 11, Vers 40, überspringt dann der Prophet einen langen Zeitraum und kommt auf die Ereignisse zu sprechen, die zu der sichtbaren Wiederkunft des Messias als gottgesandtem Eroberer führen. Der Ausdruck »in der Endzeit« deutet unmißverständlich an, daß es sich bei dem geschilderten Krieg um den letzten Krieg in der menschlichen Geschichte handeln wird.

Daniel schildert eingehend die Schlachten und Truppenbewegungen zu Beginn dieses Krieges. Mehr darüber in Kapitel 12.

Hier geht es uns vor allem um die Feststellung, daß Ägypten das wiedererstandene Israel angreifen wird, das zu jener Zeit unter der Herrschaft eines falschen Messias stehen wird. Dieser Mann wird wahrscheinlich Jude sein und eng mit dem zur gleichen Zeit herrschenden römischen Weltdiktator zusammenarbeiten.

Beachten wir, was Daniel über diesen Angriff auf Israel sagt: »In der Endzeit aber wird der König des Südreichs feindlich mit ihm zusammenstoßen« (Daniel 11, 40).

Durch diese militärische Aktion Ägyptens wird sofort ein russischer Angriff auf Israel ausgelöst (Rußland wird hier »König des Nordens« genannt).

Der Anmarsch Rußlands und des Nordbundes über die »Landbrücke des Nahen Ostens« in Richtung auf Ägypten dient diesem als düstere Warnung. Daniel prophezeit über den russischen Eindringling: »Dann wird er seine Hand weiter nach Ländern ausstrecken; auch das Land Ägypten wird ihm nicht entgehen, sondern er wird sich der Gold- und Silberschätze und überhaupt aller Kostbarkeiten Ägyptens bemächtigen, und Libyer und Äthiopier werden in seinem Gefolge sein« (Daniel 11, 42-43).

Wie im letzten Kapitel dargelegt, stehen im hebräischen Urtext für die Länder Äthiopien und Libyen die Worte »Kusch« und »Put«; Kusch steht für das farbige Afrika, Put für die auf afrikanischem Boden wohnenden

Araber. Die Stelle scheint anzudeuten, daß Rußland mit Ägypten falsches Spiel treiben wird. Außerdem wird gesagt, daß die Länder des schwarzen Afrika sowie die »arabisch-afrikanischen« Länder in die Angelegenheiten Ägyptens mit hinein verwickelt sein werden und nun ebenfalls von Rußland bedroht sind. ». . . die Libyer und Äthiopier werden in seinem Gefolge sein«, kann zweierlei bedeuten. Entweder sollen diese Länder ebenfalls von Rußland besetzt werden, oder aber sie unterwerfen sich ganz dem russischen Kommando und werden dem Nordbund einverleibt.

Die Besetzung von Kusch, Put und Ägypten sowie ihr gemeinsamer Fall wird uns eingehender bei dem Propheten Hesekiel geschildert: »Dann wird ein Schwert nach Ägypten kommen und in Äthiopien große Angst herrschen, wenn Durchbohrte in Ägypten hinsinken und man seinen Reichtum wegschleppt und seine Grundfesten eingerissen werden.

Die Äthiopier, Put und Lud samt all dem Völkergemisch und Kub samt den Bewohnern der verbündeten Länder werden mit ihnen durch das Schwert fallen« (Hesekiel 30, 4-5).

Die ersten 9 Verse von Hesekiel 30 beziehen sich auf das Gericht über Ägypten und seine Verbündeten während der Trübsalszeit. Die Ausdrücke »der Tag des Herrn«, »ein dunkelbewölkter Tag« und »die Endzeit für die Heidenvölker« sagen aus, daß es sich um die Zeit kurz vor der Wiederkunft Christi handelt. Der letzte Teil des Kapitels beschreibt zunächst einmal Geschehnisse von damals, und zwar, wie durch Nebukadnezar das Unheil über Ägypten kam; doch der größere Teil der Ereignisse liegt noch in der Zukunft.

Vergegenwärtigen wir uns noch einmal das Gesagte. Es scheint, als hätten wir ein weiteres Steinchen im aufregenden prophetischen Puzzlespiel entdeckt: die Ägypter planen, alle Araber sowie das schwarze Afrika zu einer dirtten Weltmacht zu einen, ein Plan, der ganz auf der Linie der biblischen Prophetie liegt.

Gnade für Ägypten

Nachdem uns die biblische Endzeitprophetie ein derart düsteres Bild von der Zukunft Ägyptens entwickelt hat, könnte es scheinen, als habe Gott dieses Land ganz abgeschrieben. Dem ist aber nicht so.

Der Prophet Jesaja spricht aus, daß das Gericht über Ägypten einmal den Zweck hat, die Ägypter vom Glauben an falsche Messiasse und »Religionen« abzubringen und zum Glauben an den einen wirklichen Heiland zu führen.

Der Prophet warnt vor einem schrecklichen Gericht, das Ägypten in den letzten Tagen heimsuchen werde. Sogar die »Lebensquelle« des Landes, der Nil, wird betroffen sein. »Und die Wasser werden versiegen im Nil, und der Strom wird austrocknen bis auf den Grund; die Kanäle werden dann Gestank verbreiten, die Nilarme in Ägypten flach und wasserlos werden, Rohr und Schilf verwelken« (Jesaja 19, 5-6).

Wer glaubt, der berühmte Assuan-Staudamm, der den Hauptlauf des Nil umleitet, werde auf die Dauer diese Situation Ägyptens verbessern, geht laut diesem Prophetenwort fehl. Ein uns noch unbekanntes Naturereignis wird dereinst den Oberlauf des Nils zum Versiegen bringen, und der für das Land lebenswichtige Fluß wird austrocknen. Man braucht nicht viel Phantasie zu besitzen, um sich vorzustellen, was das für Ägypten bedeuten wird.

Jesaja warnt dann vor einem mächtigen Diktator, der in das Land einfallen und es in Besitz nehmen wird: »Und ich will Ägypten in die Hand eines harten Herrschers fallen lassen, ein grausamer König soll über sie regieren« (Jesaja 19, 4). Diese Stelle bezieht sich auf den römischen Antichristen, der nach der Vernichtung Rußlands Ägypten beherrschen wird.

All dies wird über das Land hereinbrechen, so daß sie nach dem wahren Retter Jesus rufen werden. Jesaja schreibt: ». . . Wenn sie zum Herrn wegen der Bedränger schreien, wird er ihnen einen Helfer senden, der für sie streiten und sie erretten wird« (Jesaja 19, 20).

Was für eine großartige Kundgebung der Liebe Gottes! Es ist doch oft auch im persönlichen Bereich so, daß der Mensch nichts von Gott wissen will, bis dieser ihn in seiner so sicher scheinenden Welt erschüttert, daß er ganz hilflos wird und ohne Gott mit dem Leben nicht mehr fertig wird. Erst dann wenden sich manche Menschen Gott zu und flehen ihn um Hilfe an aus der Not. Dann entdecken sie mit einemmal die Bedeutung des Sühnopfers Christi, und sie erkennen, daß ihr eigenes Bemühen in Gottes Augen nichtig ist. Wenn sie dann das freie Gnadengeschenk der Sündenvergebung annehmen, werden aus Sündern Gotteskinder.

Was wir von Ägypten lernen können

Beim Lesen ist Ihnen vielleicht klar geworden, wie armselig alles menschliche Bemühen in den Augen Gottes ist. Wir können aus uns nichts tun, um vor Gott zu bestehen. Wenn Sie das auch für sich persönlich erkannt haben, dann können Sie ganz einfach vor den Herrn hintreten und ihn um Vergebung bitten. Es ist ja so einfach. Bitten Sie Jesus, in Ihr Leben einzutreten und es umzugestalten. Dann wird auch Ihr Leben Gott angenehm sein. Wir dürfen jedenfalls bezeugen, wie herrlich ein Leben aus der Kraft Gottes ist.

Zusammenfassung

Wir haben gesehen, wie die gegenwärtigen Ereignisse im Nahen Osten sich genau in das Bild der biblischen Endzeitprophetie einfügen. Israel wohnt wieder in seiner alten Heimat Palästina; es besteht wieder ein jüdischer Staat; Jerusalem befindet sich wieder ganz in der Hand der Juden; Rußland ist eine Weltmacht geworden und der erklärte Feind der Israelis. Die Araber versuchen Palästina zu befreien; die farbigen Völker Afrikas setzen sich immer eifriger für die »arabische Sache« ein. Bis zu einem offenen Bündnis mit vielen jener Staaten dürfte es nur noch ein kleiner Schritt sein. Die Prophetie wird Wirklichkeit; Steinchen fügt sich an Steinchen. Die heutige Generation steht an der Schwelle umwälzender Ereignisse.

Hierauf goß der sechste Engel seine Schale auf den großen Strom Euphrat aus; da vertrocknete sein Wasser, damit den Königen vom Aufgang der Sonne her der Weg offen stände . . . und sie versammelten sich in der Gegend, die auf hebräisch Harmagedon heißt (Offenbarung 16, 12. 16).

Der Apostel Johannes um 90 n. Chr.

KAPITEL 7

DIE GELBE GEFAHR

Wer sind »die Könige vom Aufgang der Sonne«? Die biblische Prophetie bezeichnet mit diesem Namen einen Machtblock, der zur gleichen Zeit wie der große Nordbund (Rußland und Verbündete) und der König des Südens (Ägypten und der Afro-Arabische Bund) in Erscheinung treten soll.

Unter den Königen vom Sonnenaufgang verstand man in der alten Welt die Rassen und Länder des Orients. Johannes nennt die riesige Streitmacht, die sich dereinst am Euphrat versammelt, um in den Nahen Osten einzufallen, mit diesem Namen.

Die Nennung des Euphrat gibt uns noch einen weiteren wichtigen Hinweis bezüglich dieses östlichen Bundes. Zu allen Zeiten hat der Euphratstrom in der Militärstrategie eine wichtige Rolle gespielt, galt er doch seit jeher als Scheide zwischen Ost und West. Bereits Ende des 19. Jahrhunderts schrieb ein Fachgelehrter zu diesem Thema: »Seit unvordenklichen Zeiten bildet der Euphrat mit seinen Nebenarmen die ideale natürliche Grenze zwischen den Völkern östlich und westlich des Stroms. Er besitzt eine Länge von annähernd 2700 km und ist überall so tief, daß man das Strombett nirgends durchwaten kann. Seine Breite beträgt zwischen dreihundert und elfhundert Meter, das Strombett ist zwischen drei und neun Meter tief. Die meiste Zeit des Jahres ist das Flußbett noch tiefer und breiter als angegeben.« Dieses Zitat läßt darauf schließen, daß es sich bei den Königen des Sonnenaufgangs um eine orientalische Streitmacht handeln muß, die von jenseits des Euphrat kommt.

Der Euphrat hat schon manchem Kriegsheer des Altertums und späterer Zeiten viel Kopfzerbrechen gemacht. Die Streitmacht jedoch, von der unsere prophetische Stelle spricht, wird es einfacher haben, denn diesmal wird der Strom durch göttliches Einwirken austrocknen, so daß die Soldaten mit Leichtigkeit hinübergelangen können.

Eine weitere wichtige Einzelheit entnehmen wir einer Stelle in der Offenbarung des Johannes. Der Apostel spricht von der Freilassung von vier mächtigen dämonischen Engelwesen, die bis zu diesem Zeitpunkt von Gott am Euphrat »gebunden« sind (Offenbarung 9, 14-15).

Sofort nach ihrer Freilassung setzt sich ein riesiges Heer vom Euphrat aus in Richtung Palästina in Bewegung; die Bibel spricht von »200 Millionen« Reitern (Offenbarung 9, 16). Die vier mächtigen Geisteswesen inspirieren sozusagen diese Riesenstreitmacht zu ihrer Unternehmung. Offenbar ist es auch unmittelbar jenen Geistwesen zuzuschreiben, daß die Wasser des Euphrat versiegen und das Heer trockenen Fußes diese Naturbarriere überwinden kann.

Schreckliches wird über das Treiben der asiatischen Horden prophezeit: Sie rotten ein Drittel der Erdbevölkerung aus (Offenbarung 9, 18). Man mag sich die Frage stellen, wie dies geschehen soll, und die Bibel antwortet: durch Feuer, Rauch (Luftverseuchung?) und Schwefel. Hier muß man unwillkürlich an die Auswirkungen eines Atomkrieges denken. Deshalb glauben auch viele Bibelausleger, daß der Seher Johannes die vernichtende Wirkung eines thermo-nuklearen Krieges schildert, selbstverständlich in der Ausdrucksweise eines Beobachters des ersten nachchristlichen Jahrhunderts, dem unsere naturwissenschaftlichen Erkenntnisse noch fremd waren.

Ein weiteres Zusammentreffen

Johannes sah dieses endzeitliche Geschehen gegen Ende des ersten Jahrhunderts. Er sah die Bildung eines großen asiatischen Bundes, der kurz vor der Wiederkunft Christi die größte Armee aller Zeiten aufstellen wird.

Viele Jahrhunderte lang galt der asiatische Kontinent als rückständiges Gebiet. Obgleich Asien stets eine große Bevölkerungszahl aufzuweisen hatte, blieb es in der Bildung, in den Wissenschaften und der Technologie lange Zeit hinter dem Westen zurück. Jahrhundertelang kapselte es sich gegenüber der übrigen Welt völlig ab. Dann plötzlich änderte sich das Bild; man begann allmählich, die Isolierung zu durchbrechen.

Zuerst suchte Japan den Anschluß an die moderne Zeit. Als erstes asiatisches Volk nach jahrhundertelanger Isolierung versuchte Japan, jenseits der asiatischen Grenzen Eroberungen zu machen, was ihm allerdings nicht gelingen sollte.

Im Zweiten Weltkrieg hätte es fast in die Kämpfe im Nahen Osten eingegriffen. Eine japanische Flotte nahm Kurs auf das Rote Meer, um in den Krieg in Afrika und Palästina aktiv einzugreifen und den Widerstand der Alliierten zu brechen. Nichts hätte die Japaner aufzuhalten vermocht. Sie hätten die Briten wahrscheinlich vernichtet, die von Rommels Afrikakorps bereits stark angeschlagen waren.

Die britische Marineleitung, die nur ein paar Schiffe im Indischen Ozean stationiert hatte, wußte sich keinen Rat. Sie wies die Seestreitkräfte an, unverzüglich nach Madagaskar zu fliehen; Widerstand hätte in diesem Falle Selbstmord bedeutet. Hätten die Japaner, wie ursprünglich geplant, ihren Kurs nach Westen fortgesetzt, wer weiß, vielleicht wäre der Zweite Weltkrieg anders ausgegangen.

Aber da geschah etwas Merkwürdiges. Admiral Yamamoto änderte aus unerfindlichen Gründen heraus plötzlich seinen Befehl und ließ seine Schiffe abdrehen und Kurs auf den Indischen Ozean nehmen mit Ziel auf die amerikanische Westküste. Wir glauben, das war göttliche Fügung.

Die Absicht jenes Kampfverbandes kam dann wie durch ein Wunder an den Tag, als Funker der US-Marine japanische Funksprüche auffingen und den Kode entzifferten. Die spätere Schlacht war der wirkliche Wendepunkt des Krieges. Mit einigen B-17-Bombern und einer Flotte, die stark in der Minderheit war, schlug die US-Marine die Japaner im Korallenmeer zurück. Japan verlor später den Krieg und mußte endgültig seine Welteroberungspläne begraben.

Der Drache ist erwacht

Seit der Machtübernahme durch die Kommunisten ist der eigentliche schlafende Riese Asiens, China, erwacht. Bereits 1860 sagte ein großer Kenner der biblischen Endzeitprophetie, Dr. Robinson: »Es werden keine 50 Jahre vergehen, und der orientalische Geist wird Umbrüche erleben, von denen wir uns heute noch keine Vorstellungen machen können.«

Dr. Cumming schrieb 1864, der Orient werde bald in das Industriezeitalter eintreten und später einmal der Schrecken der westlichen Zivilisation werden.

Seit zwanzig Jahren ist China kommunistisch und treibt die Kriegsrüstung im Lande ständig voran mit dem Ziel, den freien Westen einmal besiegen zu können. Die Lebensbedingungen der über 800 Millionen Chinesen sind im Grunde noch genau so primitiv wie im vorigen Jahrhundert, aber in der Kriegsrüstung hat man bemerkenswerte Fortschritte gemacht.

Welche Möglichkeiten China für die Zukunft besitzt und welche Absichten es verfolgt, hat Victor Petrov 1967 in seinem Buch »China, Emerging World Power« (China, die aufsteigende Weltmacht) treffend geschildert: »China besitzt alle Voraussetzungen für eine Weltmacht. Das wirtschaftliche Wachstum des Landes ist unbestreitbar. Mit oder ohne sowjetische Hilfe wird es sein erklärtes Ziel erreichen, seine Wirtschaftskapazität auf einen Stand zu bringen, daß es mit den großen Mächten in der Welt zu konkurrieren vermag. China ist ein Gigant, der lange Zeit im Halbschlaf dahindämmerte, ohne zu bemerken, daß die übrige Welt ihren technischen Vorsprung ständig vergrößerte. Heute nun scheint der Riese erwacht zu sein.«

Rotchina befindet sich auf dem besten Wege, eine Großmacht zu werden, wobei es aber keineswegs nur friedliche Ziele verfolgt. Schon ein Jahr nach der kommunistischen Machtübernahme brachen die Führer Chinas den Koreakrieg vom Zaun. Später schürten sie den Vietnamkrieg an. Chinesische Agenten treiben in vielen Ländern Afrikas und im Nahen Osten ihre Untergrundtätigkeit und fördern sogenannte »kommunistische Befreiungskriege«.

Der vielbesprochene chinesisch-russische Konflikt hängt mit der verschiedenen Deutungsweise der kommunistischen Doktrin durch Chinesen und Russen zusammen. Die Chinesen behaupten, die Welt könne nur durch Waffengewalt dem Kommunismus zugeführt werden. Die Russen sind heute der Ansicht, das gleiche Ziel lasse sich ebenso mit relativ wenig Gewaltanwendung, das heißt mehr durch politische Umsturztätigkeit, erreichen; nach außen hin wahrt man dabei die Maske der friedlichen Koexistenz. Beobachten wir aber immer, daß keiner der beiden die Zielsetzung der totalen Welteroberung aufgegeben hat. Dies ist ein Grundbestandteil der kommunistischen Doktrin, dessen Aufgabe Selbstmord bedeuten würde. Ohne die völlige Zerschlagung des Kapitalismus kann das Hauptziel des Kommunismus, die Veränderung der menschlichen Natur durch die Veränderung seiner Umwelt, nicht erreicht werden. Nach der kommunistischen Lehre verdirbt der Kapitalismus die Umwelt des Menschen und hindert ihn daran, die Arbeit zu lieben, seinen Wohlstand mit allen zu teilen und seine Mitmenschen zu lieben.

Die größte Anschuldigung, die die Rotchinesen gegen die Sowjets ins Feld führen, lautet, sie seien »Revisionisten«. Dies ist das verächtlichste Wort aus dem kommunistischen Wortschatz. Sie glauben, die Russen hätten das fundamentale Prinzip des Marxismus-Leninismus sozusagen »revidiert«. Lenin faßte dieses Prinzip kurz in dem Satz zusammen: »Die Marxisten haben nie vergessen, daß die Gewalt eine unvermeidliche Begleiterscheinung des Zusammenbruchs des Kapitalismus ist.«

Mao Tse-tung sieht es so: »Politische Macht stammt aus dem Gewehrlauf. Für die Kommunistische Partei

muß die Waffe immer in Reichweite liegen.« Der Grund-
unterschied könnte so beschrieben werden: »Dringe von
außen ein, und übernimm die Gewalt«, so der eine, und:
»Unterwandere die bestehende Regierung, und über-
winde die Gewalt«, so der andere.

Weil das kommunistische China davon überzeugt ist,
daß die freie Welt nur durch einen allumfassenden Krieg
überwunden werden könne, hat es viele Jahre lang fast
zehn Prozent seines Militärhaushalts für die Entwicklung
von Kernwaffen investiert. In der Ausgabe des »Bulletin
of Atomic Scientists« (Zeitschrift für Atomwissenschaft-
ler) vom Februar 1969, das dem Thema der chinesischen
Nuklearforschung gewidmet war, wurde die phantastische technologische Leistung Chinas auf dem Atomwaf-
fensektor besonders gewürdigt. Von den ersten Tests mit
einer einfachen Atombombe bis zu dem erfolgreichen
Versuch mit einer H-Bombe vergingen nur zweieinhalb
Jahre; China kam weit schneller zum Ziel als die übrigen
Atommächte.

In der gleichen Ausgabe der oben angeführten Zeitschrift sprach Michael Yahuda über die verschiedenen
Möglichkeiten des Einsatzes der chinesischen Wasserstoffbombe. Er vertrat die folgende Meinung: »Die dritte
Möglichkeit, eine auf Interkontinentalraketen basie-
rende Strategie, wäre – vom psychologischen Standpunkt
aus betrachtet – für die gegenwärtige chinesische Führung, vor allem für Mao selbst, wohl die befriedigendste
Lösung. Mit einem Schlage besäßen die Chinesen die
modernsten Waffen . . . das amerikanische Festland befände sich in Reichweite, ebenso der Ural und das europäische Rußland. Es ist anzunehmen, daß die Chinesen
bald interkontinentale Trägerraketen entwickeln.«

Die Meinung Yahudas wird sicher von den westlichen
Militärstrategen geteilt. Das war auch zweifellos der

Hauptgrund dafür, daß sich die Regierung Nixon so sehr für ein Raketenabwehrsystem einsetzte.

Dr. David Inglis schrieb im Februar 1965 in der gleichen Zeitschrift: »Unsere Vorsorge sollte wenigstens zwei Jahrzehnte in die Zukunft gehen. Bis dahin wird China eine derart gefährliche nukleare Bedrohung darstellen, daß wir keine Anstrengungen scheuen sollten, dieser Gefahr wirksam zu begegnen.« Dies wurde noch *vor* der erfolgreichen Erprobung der chinesischen Wasserstoffbombe geschrieben.

Wir sind der Ansicht, daß sich mit der Erstarkung Chinas der große Machtblock zu bilden beginnt, den der Apostel Johannes in seiner Apokalypse die »Könige des Ostens« nannte. Wir leben in einer Zeit, in der man sich ohne weiteres vorstellen kann, daß der Orient einmal ein 200-Millionen-Heer aufstellen wird. In einer kürzlich im Fernsehen ausgestrahlten Dokumentarsendung über Rotchina, die den Titel trug: »Die Stimme des Drachen«, wurde gesagt, die Chinesen rühmten sich, eine Volksarmee von 200 Millionen Mann aufstellen zu können.

Das ist die gleiche Zahl, die uns Johannes nennt. Ist das Zufall?

Die chinesischen Führer behaupten, selbst Atomwaffen könnten ihre Heere nicht aufhalten, da sie immer wieder neue Soldaten in den Kampf werfen könnten. Petrov schreibt: »Auch zur Zeit der Maschinen und der Automation ist der Mensch in einem Krieg noch nicht zu ersetzen. Eine Macht, die über große Reserven von Menschen verfügt, ist auch heute noch im Vorteil gegenüber einem Feind, der das nicht kann. Die chinesischen Streitkräfte verfügen über ein riesiges Menschenpotential. Es naht sich offenbar der Tag, an dem China zu jener kleinen, aber exklusiven Gruppe von Staaten gehört, die wir als die großen Weltmächte bezeichnen.«

Die nüchterne Tatsache, daß Rotchina spätestens um 1980 über interkontinentale Trägerraketen verfügen wird, mit denen Wasserstoffbomben an jede Stelle der Erde transportiert werden können, bedeutet, daß die Weissagung in der Apokalypse in bezug auf die »Könige des Ostens« heute bei weitem nicht mehr so unglaublich klingt wie in früheren Zeiten. Binnen zehn Jahren wird China so viele Atombomben besitzen, daß es ein Drittel der Weltbevölkerung vernichten kann, wie Johannes es voraussagte.

Zusammenfassung

Wir glauben, daß auf der endzeitlichen Weltbühne eine weitere Weltmacht eine Rolle spielen wird. Gleichzeitig mit dem Wiedererstehen Israels und der Rückkehr der Juden aus der Zerstreuung, der Erstarkung Rußlands und der Bildung des arabischen Bundes, trägt auch China dazu bei, die Voraussetzungen für die in der Endzeitprophetie angekündigten Ereignisse zu schaffen. Die Geschichte scheint sich ihrem Krisenpunkt zu nähern.

Veni, Vidi, Vici (Ich kam, sah und siegte).

Cäsar, 47 v. Chr.

KAPITEL 8

ROM ERWACHT

Als Cäsar damals seine denkwürdige Botschaft nach Rom schickte, die aus den Worten bestand »Veni, Vidi, Vici« (Ich kam, sah und siegte), dachten die Schreiber seiner Zeit vielleicht: Diese historischen Worte wollen wir unbedingt sofort festhalten. Vielleicht müssen sie die Lateinschüler späterer Zeiten einmal auswendig lernen.

Aber Scherz beiseite! Tatsache ist, daß jeder Student des Lateinischen, der sich durch die verschiedenen Deklinationen hindurchgekämpft hat und Gajus Julius Cäsar im Geiste in den »gallischen Krieg« gefolgt ist, diesen Ausspruch gut kennt. Sicher haben viele andere berühmte Männer in beredteren Worten ihre Siege geschildert als damals Cäsar, aber es gab in der Geschichte nur wenige Männer, die eine derartige Machtfülle besaßen wie er.

Doch auch Rom ging unter, und Cäsar wurde ermordet. Aber Rom ist nicht für immer zerfallen.

Die Bibel kündet davon, daß kurz vor der Wiederkunft Christi auf diese Erde das Römische Reich wiedererwachen wird. Ein neuer Cäsar wird dann herrschen. Der Spruch »Veni, Vidi, Vici« wird dann erneute Aktualität erlangen.

Vor zwanzig Jahren hätte noch niemand zu glauben gewagt, daß Rom als Reich wiedererstehen könnte. Aber heute sehen wir Blockbildungen von Staaten, die andeuten, daß das Römische Reich wieder erwachen wird.

Je weiter die politische Entwicklung in der Welt fortschreitet, desto aufregender wird das Studium der Prophetie. Sie wird immer klarer, je mehr wir sie mit den aktuellen politischen Ereignissen vergleichen.

In Daniel 12 heißt es, daß das prophetische Wort bis zur Endzeit versiegelt bleiben solle; viele würden es dann durchforschen, und die Erkenntnis werde zunehmen. An anderer Stelle heißt es: »Gott der Herr tut nichts, ohne zuvor seinen Ratschluß seinen Knechten, den Propheten, geoffenbart zu haben« (Amos 3, 7).

Das heißt doch, daß Gott wichtige Geschichtsereignisse, die besondere Bedeutung für die Durchführung seiner Pläne mit der Welt besitzen, zuvor offenbart. Ich glaube persönlich nicht, daß es in unserer Zeit Propheten gibt, die direkte Offenbarungen von Gott erhalten. Aber wir haben mitten unter uns Männer, denen besondere Einsicht in das prophetische Wort der Bibel geschenkt wird. Viele erhalten von Gott Verständnis für die Endzeitprophetie. Das ist mit ein Grund dafür, daß es in unserer Zeit mehr Bücher über prophetische Themen gibt als früher.

Alle Wege führen nach . . .

Wo in der Bibel findet man Voraussagen über ein Wiedererwachen des Römischen Reiches? Prüfen wir zunächst einmal das Buch Daniel auf derartige Aussagen. Kapitel 7 des Buches Daniel wurde im 6. Jahrhundert vor Christus geschrieben, zu einer Zeit also, als Babylon die Welt beherrschte. Im ersten Teil des Kapitels hat Daniel eine Vision von vier aufeinanderfolgenden Weltreichen, die »die ganze Erde beherrschen sollen«. Kapitel 2 handelt ebenfalls von diesen vier Weltreichen. Der Schlüssel dazu findet sich in Daniel 2, 38-40, wo die vier Weltreiche näher beschrieben werden.

Das erste Reich ist Babylon. »Du [König von Babylon] bist das goldene Haupt!«

Dann nennt uns der Prophet das nächste Reich. »Nach dir wird ein anderes Reich erstehen [Medo-Persien], das nicht so mächtig ist wie das deinige, und dann noch ein anderes drittes Reich [Griechenland unter Alexander dem Großen], das über die ganze Erde herrschen wird. Darauf wird ein viertes Reich da sein, stark wie Eisen [Rom]. Wie das Eisen alles zermalmt und zertrümmert, so wird es wie ein erzener Hammer jene alle zermalmen und zertrümmern« (Daniel 2, 38-40).

Diese vier Reiche sollen alles erobern, was zur Zeit des Bestehens auf der Erde des Eroberns wert ist.

Das größte Kapitel im Alten Testament

Das siebente Kapitel des Buches Daniel galt bei den Schriftgelehrten des Alten Bundes als *das* Kapitel der Bibel. Sowohl Jesus als auch seine Apostel nehmen wiederholt direkt oder indirekt darauf Bezug. Viele Weissagungen des Danielbuches lassen sich schon seit vielen Jahrhunderten genau in ihren geschichtlichen Zusammenhang einordnen. Andere Teile dagegen waren bis vor kurzem in ihrem Sinn dunkel.

Daniel hat einen Traum, und in diesem Traum sieht er vier Tiere aus dem Meer steigen. Das erste sieht aus wie ein Löwe, hat aber Adlerflügel. Das zweite gleicht einem Bären; das dritte einem Panther, besitzt aber vier Köpfe; das vierte Tier wird als »schrecklich und furchtbar« geschildert. Es hat gewaltige Zähne von Eisen und zehn Hörner.

Versetzen Sie sich, lieber Leser, einmal in die Rolle eines Traumdeuters. Wie würden Sie sich fühlen, wenn Sie einen derartigen Alptraum gehabt hätten? Sicher können Sie es dem Propheten nachfühlen, wenn er schreibt, daß er sich »im Innern beunruhigt fühlte« und das Gesicht ihn in Angst versetzte. Die äußere Verschlungenheit des Traumgesichts braucht uns jedoch nicht zu verwirren; Daniel erhält nämlich die Deutung seiner Vision von Engeln: »Jene gewaltigen Tiere, vier an der Zahl, bedeuten vier Könige, die auf der Erde erstehen werden« (Daniel 7, 17).

Die vier Weltreiche

Das erste Reich ist Babylon, das im Jahre 606 v. Chr. nach der Eroberung Ägyptens unter Nebukadnezar Weltmachtstellung erlangte.

Das zweite Reich wird mit einem Bären verglichen und bedeutet Medopersien, das um 550 v. Chr. das neubabylonische Reich eroberte und bis 333 v. Chr. die Weltherrschaft ausübte. Seine beiden ersten Könige glaubten an den Gott Israels. Aber das Erstaunliche ist, daß Daniel bereits lange vor dem Erstarken Griechenlands dessen zukünftigen Sieg über das medopersische Reich voraussagte. Im Jahre 333 v. Chr. war es dann soweit. Alexander der Große schlug die Perser bei Issus vernichtend, und das griechisch-mazedonische Weltreich entstand.

Wie in Daniel 8 vorhergesagt, starb Alexander der Große vorzeitig. Sein Reich zerfiel und wurde in vier Teile geteilt. Die vier Hauptnachfolger wurden im zweiten vorchristlichen Jahrhundert von den Römern überwunden. Im Jahre 68 v. Chr. nahm Rom den letzten Rest des alten griechischen Reiches in Besitz und war damit unumschränkte Weltmacht.

Heute ist es Mode geworden, die Bücher des Alten Testaments form- und literarkritisch »auseinanderzunehmen«. So wird von dem Danielbuch behauptet, es sei erst 165 v. Chr. entstanden; damit will man die prophetischen Aussagen des Buches abwerten. Berühmte Bibelgelehrte wie Dr. Merrill F. Unger, Dr. E. J. Young, Sir Robert Anderson und andere verteidigen jedoch seine Echtheit und die frühe Zeit seiner Abfassung.

Das vierte Reich

Das vierte Weltreich wird nicht mit dem Namen eines Tieres benannt, sondern es heißt von ihm, daß es ganz anders aussehe als die anderen Tiere vor ihm, schrecklich und furchtbar. »Hierauf wünschte ich Sicheres über das vierte Tier zu erfahren, das sich von allen anderen unterschied und besonders furchtbar war, dessen Zähne von Eisen und dessen Klauen von Erz waren, das da fraß und zermalmte und, was übriggeblieben war, mit seinen Füßen zertrat« (Daniel 7, 19).

Der Vers spricht von der ersten Phase dieses Weltreichs. Es gelangt zur Weltmachtstellung (wie es bei Rom geschah), verschwindet dann, um kurze Zeit vor der Wiederkunft Christi von neuem zu erstehen.

Das Römische Reich – zweite Phase

In der zweiten Phase nimmt das vierte Weltreich Rom die Gestalt eines Zehnstaatenbundes an. »Auch über die zehn Hörner auf seinem Kopf wünschte ich sichere Auskunft und über das andere Horn, das hervorgeschossen und vor dem drei Hörner gefallen waren. Dieses Horn hatte Augen und einen Mund, der vermessene Reden führte, und das größer anzusehen war als die übrigen« (Daniel 7, 20).

Die Bedeutung der Symbole wird klarer, wenn wir den nächsten Vers lesen. Daniel fährt fort: »Ich hatte auch gesehen, wie jenes Horn Krieg mit den Heiligen führte und sie vergewaltigte, bis der Alte an Tagen kam und den Heiligen des Höchsten die Macht verliehen wurde und die Zeit eintrat, wo die Heiligen die Herrschaft in dauernden Besitz nahmen« (Daniel 7, 21-22).

Hier ist Bezug genommen auf das messianische Reich, das alle anderen irdischen Reiche ablösen wird. In Daniel 7, 13-14 lesen wir, wie dem Messias die Macht übertragen wird. »Ich schaute in Gesichten der Nacht, und siehe, mit den Wolken des Himmels kam einer wie eines Menschen Sohn, der kam zu dem Hochbetagten . . . und ihm wurde Herrschaft und Herrlichkeit und Königtum gegeben.«

Obige Weissagung vom Menschensohn in den Wolken des Himmels, der als Messiaskönig das Reich errichtet, deutet Jesus in seinem Eidschwur vor dem Hohen Rat unverkennbar auf sich. Der Hohepriester hatte ihm die direkte Frage gestellt: »Bist du der Messias, der Sohn des Hochgelobten?« Jesus antwortete ihm: »Ja, ich bin es, und ihr werdet den Menschensohn sitzen sehen zur Rechten der Macht und kommen mit den Wolken des Himmels« (Markus 14, 61-62).

Jesus bezieht sich mit seinen Worten auf Daniel 7, 13. Jeder im Hohen Rat mußte wissen, wovon er sprach, denn dort kannte man die Propheten und ihre Schriften sehr genau. Man geriet in rasende Wut und erklärte Jesus zu einem Gotteslästerer, weil er sich als Gottes Sohn bezeichnet hatte.

Aber kehren wir wieder zurück zu der zweiten Phase des Römischen Reiches. Die Schrift sagt von den zehn

Hörnern, daß sie zehn Könige, das heißt zehn Staaten bezeichnen. »Die zehn Hörner aber bedeuten, daß aus eben diesem Reiche zehn Könige erstehen; nach ihnen wird noch ein anderer auftreten, der von den früheren verschieden ist und drei Könige stürzen wird« (Daniel 7, 24).

»Aus diesem Reiche« bedeutet, daß die zehn Könige aus dem Römischen Reich erstehen werden, da Rom das vierte Danielsche Königreich war. Was soll der Ausdruck »ein anderer« bedeuten? Es ist das Tier, der Antichrist.

Nachdem die zehn Staaten aus dem kulturellen Erbe des alten Römischen Reiches entstanden sind, wird noch ein anderer König auftreten, »der von den früheren verschieden ist«. Er wird nicht nur politischer, sondern auch religiöser Führer sein. (Näheres darüber in den beiden nächsten Kapiteln.) Wenn er zur Macht gelangt ist, wird er drei der zehn Könige oder Völker stürzen. Sieben von ihnen werden ihn jedoch bereitwillig mit Macht ausstatten.

Vergebliche Einigungsversuche

Der römische Einfluß auf die Welt ist so tiefgreifend, daß er noch heute in allen Bereichen der westlichen Zivilisation festzustellen ist. Damals zerfiel Rom allmählich von innen her.

Es ist interessant, wie man oftmals in der Geschichte versucht hat, das alte Römische Reich zu neuem Leben zu erwecken. Im Jahre 800 machte Karl der Große einen solchen Versuch. Sein »Römisches Reich« umfaßte das heutige Frankreich, Deutschland, Italien, Holland und Belgien. Aber sein Reich war nicht der Zehnstaatenbund der Schrift.

Auch Napoleon träumte von einem Römischen Reich.

Papst Pius VII. machte eine lange Reise über die Alpen nach Frankreich, um Napoleon in der Kathedrale von Notre Dame in Paris zu krönen. Aber der kleine Cäsar nahm dem Papst die Krone aus der Hand und setzte sie sich selbst aufs Haupt. Auch sein Reich war noch nicht das wiedererwachte Römische Reich der Endzeit.

Und dann in unserer Zeit Hitler. Es besteht wohl kein Zweifel daran, daß auch ihm ein Reich in der Art des alten Römischen Reiches vor Augen stand. Er versuchte zumindest alles, ein solches zu schaffen. Sein »Drittes Reich« sollte tausend Jahre Bestand haben. Aber Gott hatte andere Pläne. Hitler scheiterte.

Was all den kleinen und großen Staatsmännern der vergangenen Jahrhunderte nicht gelang, nämlich die Wiederbelebung des alten Römischen Reiches, wird sich in der Endzeit nach der Vorsehung Gottes verwirklichen.

Wir meinen nicht ein Römisches Reich, das in allen Einzelheiten geographisch dem alten Römerreich entspricht, wenngleich manche der damaligen Länder dazugehören werden. Es wird sich vielmehr um einen Bundesstaat handeln, dessen Länder in Volkstum, Kultur und Tradition starke Bindungen an das alte Römerreich aufzuweisen haben.

Vereint

Läge der Bildung des Gemeinsamen Marktes eine Entwicklung zugrunde, die, auf die biblische Prophetie der Endzeit bezogen, für sich stände, käme ihr für unsere Betrachtung keine Bedeutung zu. Dem ist jedoch nicht so. Im Gegenteil, die Bildung eines Vereinten Europa fügt sich so nahtlos in das prophetische Gesamtbild der Endzeitgeschichte ein, daß ihr enorme Wichtigkeit zukommt.

Wir glauben, daß der Gemeinsame Markt sowie der

Trend zur Einigung Europas sehr wohl die Vorstufe des Zehnstaatenbundes sein kann, wie er uns im Danielbuch sowie in der Johannes-Apokalypse vor Augen tritt.

Welche Kräfte sind es eigentlich, die zur Bildung eines europäischen Bundesstaates führen werden, denen das am Ende gelingt, was die Staatsmänner vieler Jahrhunderte zwar auch anstrebten, aber nie erreichten?

Erstens, die kommunistische Bedrohung. Einer der Hauptfaktoren, die zur Bildung der europäischen Wirtschaftsgemeinschaft führten – wie übrigens auch der NATO, der Nordatlantischen Verteidigungsgemeinschaft –, war die Furcht vor dem gemeinsamen Feind. Jean Monnet hat gesagt: »Solange Europa geteilt ist, ist es für Rußland kein ernstzunehmender Gegner; Europa muß zusammenfinden.«

Der zweite Grund war die wirtschaftliche Bedrohung Europas durch den Wirtschaftsgiganten USA, dem ein Europa der Einzelstaaten auf die Dauer nicht gewachsen sein konnte. Eine sendungsbewußte Persönlichkeit in der Europapolitik ist Jean-Jacques Servan-Schreiber, Zeitungsredakteur und Autor des Buches »Die Amerikanische Herausforderung«, ein Werk, dem man überall in Europa Beifall gezollt hat. Man hat sogar behauptet, der gutaussehende Franzose dränge so sehr auf ein geeintes Europa, weil er dessen erster Präsident werden wolle. Ob das stimmt oder nicht, können wir nicht mit Gewißheit entscheiden. Fest steht jedoch, daß dieser Mann eine der treibenden Kräfte der europäischen Einigungspolitik verkörpert.

Servan-Schreiber ist überzeugt, nur ein geeintes Europa könne mit der amerikanischen Technologie, Forschung und Organisation ernsthaft in Konkurrenz treten.

Der dritte Grund, warum ich glaube, daß Europa auf einen Zehnstaatenbund zusteuert, liegt in der europäischen Skepsis gegenüber dem Militärbündnis mit Amerika. Man glaubt, daß Amerika, sollte es einmal zu einem ernsthaften Konflikt mit dem kommunistischen Osten kommen, kein wirksamer Sicherheitsgarant gegen eine russische Invasion ist. Als Amerikaner fällt mir diese Feststellung zwar schwer, aber es herrschen in Europa nun einmal ernsthafte Zweifel daran, ob man sich auf die USA im Ernstfall wirklich verlassen kann.

Der vierte Grund ist in der biblischen Prophetie selbst zu suchen. Man kann daraus schließen, daß Amerika nicht immer die führende Stellung im westlichen Lager einnehmen wird.

An dieser Stelle höre ich Protest. Ist denn in der Bibel von den Vereinigten Staaten die Rede? Nein. Andererseits ist es sicher, daß die Führung im westlichen Lager einmal auf Rom übergehen wird. Wenn also die USA zu jenem Zeitpunkt noch eine Rolle spielen werden, dann jedenfalls nicht mehr ihre jetzige Führungsrolle.

Wenn es manchmal so aussieht, als gerate die europäische Einigungspolitik ins Stocken, so ist doch, aufs Ganze gesehen, ein stetes Vorwärtsschreiten festzustellen.

Der fünfte Grund ist in den großen wirtschaftlichen und politischen Möglichkeiten eines Vereinten Europa zu suchen. Schon viele haben das erkannt, nicht nur Servan-Schreiber. Vor einigen Jahren sagte der französische Außenminister, daß der Gemeinsame Markt mit seinem Netz von Interessen und Verwicklungen in der ganzen Welt bald ein solches Gewicht erhalten werde, daß er schließlich zu einem Weltsystem führen müsse.

Der ehemalige amerikanische Außenminister Dean Rusk hat gesagt: »Mächtige Kräfte innerhalb der europäischen Wirtschaftsgemeinschaft streben auf eine Einigung auch auf politischem Gebiet hin. Der Drang zu

Wachstum und Überleben zwingt die Völker Europas, ihre Feindschaften von einst zu vergessen und sich zu vereinen. Durch die Zusammenfassung und Koordinierung ihrer Hilfsquellen und Anstrengungen, aus dem Chaos nationaler Rivalitäten und Kriege herauszukommen, erwächst ein mächtiges neues Gebilde.«

Ein deutscher Kollege schickte mir kürzlich einen übersetzten Auszug aus einer Rede des ehemaligen Präsidenten der Europäischen Wirtschaftsgemeinschaft, Professor Hallstein, von dem er annahm, er sei für mich von Interesse. Entscheiden Sie selbst, ob er recht hatte.

»Man muß drei aufeinanderfolgende Phasen der europäischen Einigung unterscheiden. Erstens die Zolleinheit, zweitens die Wirtschaftseinheit und drittens die politische Einheit... Was wir auf dem Wege zur europäischen Einigung bisher geschaffen haben, ist eine mächtige wirtschaftspolitische Einheit, von der wir unter keinen Umständen etwas preisgeben dürfen. Ihr Wert besteht nicht nur in dem, was sie zur Zeit darstellt, sondern noch mehr in dem, was sie einmal zu werden verspricht. Um das Jahr 1980 dürfen wir die große Fusion aller wirtschaftlichen, militärischen und politischen Gemeinschaften zu den Vereinigten Staaten von Europa erwarten.«

Professor Hallstein nennt das Jahr 1980. Anzeichen deuten darauf hin, daß die Entwicklung vielleicht noch schneller vor sich gehen wird. Ein amerikanisches Magazin brachte kürzlich einen Artikel unter der Überschrift »Europas Einheitsträume vor der Verwirklichung«.

Ein Satz des Berichtes fiel einem sofort ins Auge. Es hieß da: »Sollte es nach den optimistischen Zeitplänen gehen, könnte sich der Gemeinsame Markt dereinst zu einem Zehn-Staaten-Gebilde ausweiten, das eine industrielle Macht besäße, die die der Sowjetunion weit übertrifft.«

Man stelle sich ein aus zehn Staaten bestehendes Wirtschaftsgebilde nur einmal vor! Ist es noch ein Wunder, daß Männer, die sich in der biblischen Endzeitprophetie auskennen, glauben, daß die Vereinigung Europas bereits begonnen hat?

Und was kommt noch?

In der Zeit des Wiedererwachens des Römischen Reiches zu neuem Leben wird auch das Geheimnis Babylon zu neuem Leben erweckt. Wem das zu gespenstisch klingen sollte, der gedulde sich noch etwas. In einem späteren Kapitel werden wir uns mit der biblischen Grundlage unserer Behauptung näher befassen. An der Spitze des wiedererwachten Römischen Reiches wird ein Mann stehen, der solche Macht, solchen Einfluß und solche Anziehungskraft ausüben wird, daß er der größte Diktator aller Zeiten sein wird. Er wird der völlig gottlose, diabolische »zukünftige Führer« sein.

*Der Geist, den ich gesehen, kann ein Teufel sein. Der Teufel
hat Gewalt, sich zu verkleiden in Truggestalt.*

Hamlet

KAPITEL 9

DER KOMMENDE FÜHRER

Ein Diktator? Wer ist ein Diktator? Was tut ein Diktator? Ein Diktator besitzt höchste Vollmachten im Staate. Erscheint er nun plötzlich auf der politischen Bühne und erklärt: »Nun ist Schluß mit der überholten Demokratie; ich bin jetzt euer Führer!«? Nein, so passiert es nicht.

Zu einer Diktatur kann es dann kommen, wenn in einem Land vorher chaotische Zustände geherrscht haben, die sich der Diktator zunutze macht, um die Macht an sich zu reißen. Leider hat sich in der Geschichte immer wieder gezeigt, daß Diktaturen nie das erreichen, was sie versprechen. Auch sie können ein Land meist nicht aus dem Elend führen, wie sie es lautstark versprechen.

Der vom Machtwahn besessene Führer des Dritten Reiches, Adolf Hitler, wäre nie an die Spitze des Staates gekommen, hätte er nicht äußerst günstige Vorbedingungen vorgefunden. Anfang der Dreißiger Jahre herrschten in Deutschland hoffnungslose Zustände. Die Wirtschaft lag darnieder, und allenthalben herrschten Armut und Arbeitslosigkeit. Millionen von Menschen besaßen kaum das Notwendigste zum Leben. Es war eine düstere Zeit, und man suchte verzweifelt nach einem Ausweg aus dem Dilemma. Da erkannte Hitler seine Stunde. Seine

Machtübernahme erfolgte genau im rechten Augenblick.

Hitler hielt sich selbst für einen Helden, Retter und Übermenschen, den großen Führer, der Deutschland zu »Ruhm und Ehre« führen wollte.

Er glaubte, er könne sich über die Sittengesetze stellen. Mit seinem falsch verstandenen Begriff von Ethik und Moral wähnte er sich hoch erhaben über dem Durchschnittsmenschen und umgab sich mit zwielichtigen Charakteren aller Art. Solange sie ihm nützlich waren, durften diese verbrecherisch veranlagten Menschen an seiner Macht teilhaben. Wurden sie ihm hinderlich, so ließ er sie kurzerhand liquidieren.

Damals in Rom

Hitler nannte sein Reich in Anlehnung an das Erste Reich, das römische Imperium, »Drittes Reich«. In Rom hatten einst die Cäsaren den Kaiserkult eingeführt, und die Vollmachten der Kaiser waren fast unbeschränkt.

Ein schottischer Theologe schreibt: »Es ist eine erstaunliche Tatsache, daß der Kaiserkult nicht von oben her dem Volke aufgezwungen wurde, sondern von unten her wuchs.« Ähnlich war es bei Hitler.

Aber es gab auch Unterschiede zwischen der Kaiseranbetung der Römer und dem Hitlerkult. Hitlers Aufstieg ging vergleichsweise schnell vor sich. Der Kaiserkult war nur allmählich entstanden, und zwar aus der Dankbarkeit der Bewohner der Provinzen gegenüber den Wohltaten Roms. Wenn Rom in einem Lande zur Herrschaft gelangte und die für seine Ziele unbrauchbaren Tyrannen ausgebootet waren, wurde das römische Recht eingeführt. Der römische Friede, die Pax Romana, war etwas, was die Welt bisher noch nicht gekannt hatte, und die Menschen waren dankbar dafür.

Aber es war nicht genug, daß die Völker Roms Herrschaft dankbar anerkannten; das war etwas Unpersönliches. Der Geist Roms mußte personifiziert werden. So begann man allmählich, dem römischen Kaiser göttliche Ehren zu erweisen.

Schon vor der Zeitenwende war der Kaiserkult offiziell eingeführt worden. Im Jahre 29 v. Chr. wurde in Pergamon dem Kaiser der erste Tempel erbaut.

Was geschah dann? Das Imperium hatte riesige Ausmaße. Viele Völker, Rassen und Sprachen gehörten ihm an. Ein solches Reich benötigte ein einendes Prinzip, und es ist eine Tatsache, daß der Faktor »Religion« einen sehr einigenden Einfluß ausüben kann. Bald wurde jeder römische Bürger gezwungen, vor einem Standbild des Kaisers Weihrauch zu opfern. Dabei mußte er die Bekenntnisformel sprechen: »Der Kaiser ist der Herr.«

Es ist kein Wunder, daß später die Christen mit diesem Kult in Konflikt gerieten, da sie nur Christus als ihren Herrn gelten lassen wollten und dem Kaiser diese Verehrung verweigerten. Sie erlitten grausame Verfolgungen. Die gigantischen Breitwandfilme, in denen man sehen kann, wie die Christen in der Zirkusarena unter dem stürmischen Beifall des gaffenden Volkes den wilden Tieren zum Fraß vorgeworfen werden, sind keinesfalls der Phantasie irgendwelcher Hollywoodregisseure entsprungen. So ging es wirklich damals zu.

Zusammenfassend kann man sagen, daß vieles dazu beiträgt, wenn es einem Diktator gelingt, an die Macht zu gelangen: Anarchie, Gesetzlosigkeit, sittlicher Verfall, menschliche Verzweiflung und falscher Heldenkult. Immer waren es Verfallserscheinungen im Staate, die die Diktatoren an die Macht führten.

Wie sieht es heute in unserer Welt aus? Leben wir in einer friedlichen, spannungsfreien Zeit? Eine lächerliche Frage. Wer sich in der Alltagshast ein wenig die Zeit nimmt, einen realistischen Blick auf unsere Generation zu werfen, der muß schockiert sein.

Mancher Gleichgültige wird sagen: »Verbrechen und Kriege hat es zu allen Zeiten gegeben und wird es immer geben. Warum sich also unnötig darüber aufregen?«

Kürzlich las ich eine Statistik, die eindeutig bewies, daß die Zahl der Verbrechen in den USA zwischen den Jahren 1960 und 1968 in erschreckendem Maße zugenommen hat. Die Verbrechensquote stieg um 120 Prozent an, während die Bevölkerungszahl nur um 11 Prozent zunahm.

Verbrechen werden nicht immer nur von einzelnen begangen; ganze Völker begehen als Nation verbrecherische Akte. Denken wir nur an die Kriege überall in der Welt, die viele Tausende das Leben kosten. Hinzu kommen noch die Guerillakriege, Revolutionen und revolutionären Bewegungen.

Immer mehr Krieg. Hat es jemals in der Geschichte eine Zeit gegeben, in der die Möglichkeiten der Selbstvernichtung so groß waren wie in unserer Zeit?

Die Bevölkerungsexplosion

Manche sind der Ansicht, daß die Sorge um das sprunghafte Anwachsen der Weltbevölkerung übertrieben sei. Sie meinen, die traumhaften Erfolge von Technik und Wissenschaft würden auch hier schließlich eine Lösung bringen. Vielleicht haben sie recht. Andererseits haben viele Experten auf diesem Gebiet Statistiken aufgestellt, die einem, gelinde ausgedrückt, Angst machen können. In einem Bericht, der erst 1969 von einem Untersuchungsausschuß der Vereinten Nationen herausgegeben wurde, heißt es, daß die Bevölkerungszunahme auf der Erde heute ein Weltproblem ersten Ranges darstellt, das so wichtig ist wie der Friede selbst. Dieser Bericht sagt für das Jahr 2000 eine Bevölkerung von 7,5 Milliarden Menschen voraus. Verglichen mit dem Bevölkerungsstand von 1968, der 3,4 Milliarden betrug, sehen wir, daß sich die Weltbevölkerung in 30 Jahren mehr als verdoppelt haben wird, wenn die Schätzungen richtig sind.

In dem Bericht heißt es dann weiter, hohe Geburtenzahlen führten in den hochentwickelten Ländern unweigerlich zur Überbevölkerung, zur Ausbreitung der Stadtgebiete und einer Reihe von psychischen Schäden der Betroffenen sowie zu Hungersnot, Analphabetentum, Arbeitslosigkeit, Elend und Unruhen in den Entwicklungsländern.

Der Gouverneur des amerikanischen Bundesstaates Ohio, J. Bruce Griffing, hat zum Ausdruck gebracht, daß, wenn die Menschheit nicht sofort handelt, es 1985 zu einer weltweiten Hungersnot kommen und in 75 Jahren soweit sein wird, daß die Menschheit ausstirbt.

Vielleicht denken wir, daß uns das persönlich nicht mehr treffen wird. Dann wollen wir hören, was Dr. Stanley F. Yolles, Direktor eines staatlichen psychiatrischen Instituts sagt. Er schreibt: »Die Bevölkerungszunahme sowie der stärker werdende Zeitdruck in unserer Gesellschaft führen mehr und mehr zu seelischen Störungen. Zwischen 1960 und 1965 nahm in den USA die Zahl der Psychiater, Psychologen und verwandter Berufe um 44 Prozent zu. Es gibt immer mehr Nervenkranke. Erstaunlich hoch ist der Anteil der jugendlichen Patienten.

Immer wieder hört man die Klage, daß sich der Mensch in unserer Massengesellschaft isoliert vorkomme.«

Wie wird es bei der angedeuteten Entwicklung erst in dreißig Jahren sein?

Experten auf dem Gebiet der Bevölkerungsbiologie, zum Beispiel Paul Ehrlich, Professor an der Stanford Universität, sind auf Grund ihrer Untersuchungsergebnisse ebenfalls zum Pessimismus geneigt. Paul Ehrlich meint zum Beispiel: »Die Menschheit steht möglicherweise vor ihrer größten Krise. Keine Maßnahme, die wir zu diesem späten Zeitpunkt noch zu treffen in der Lage sind, kann verhindern, daß es in den kommenden Jahren zu großen Hungersnöten und zu fortschreitender Umweltverschmutzung kommen wird.«

Alle Systeme müssen weichen

Man braucht nicht »religiös« zu sein, um zu erkennen, daß die Geschehnisse in unserer heutigen Welt einem kommenden Diktator den Boden bereiten. Überall greift die Anarchie um sich. Die althergebrachte Moral muß einer »neuen Moral« weichen, die als fortschrittlich und modern gelobt wird. Wir sehen die Entwicklung von Superwaffen, hören die Drohungen der Führer der atheistischen Weltmächte, die sich nicht scheuen würden, ihre Drohungen auch wahr zu machen, wenn sie eine Gelegenheit für das Gelingen ihrer Eroberungspläne wahrnähmen.

Allmählich macht sich immer mehr die Auffassung breit, daß die Probleme und Spannungen in der Welt nur noch von »einem starken Mann« gelöst werden können.

Sogar Arnold Toynbee, der bekannte Historiker, erklärte in einer Rundfunkrede: »Dadurch, daß die Technologie der Menschheit immer neue Todeswaffen aufgezwungen hat und gleichzeitig die Welt im wirtschaftlichen Bereich immer abhängiger macht, hat sie die Menschheit so sehr ins Elend gebracht, daß sie bereit ist, einem neuen Cäsar zuzujubeln, wenn es ihm nur gelingt, der Welt Einheit und Frieden zu schenken.«

Wer ist der »kommende Führer«?

Die Zeit wird jeden Tag reifer für den großen Diktator, den wir den »kommenden Führer« nennen wollen. Von ihm ist in der Endzeitprophetie sehr klar die Rede. Er heißt dort »Antichrist«.

Die Bibel beschreibt uns diesen zukünftigen Weltbeherrscher sehr genau.

In der Offenbarung des Johannes lesen wir: »Hierauf trat ich an den Strand des Meeres. Da sah ich aus dem Meer ein Tier heraufkommen, das zehn Hörner und sieben Köpfe hatte und auf seinen Hörnern zehn Königskronen und auf seinen Köpfen gotteslästerliche Namen.

Das Tier, das ich sah, glich einem Panther, doch seine Füße waren wie die eines Bären und sein Maul wie ein Löwenrachen. Der Drache gab ihm seine Kraft und seinen Thron und große Macht« (Offenbarung 12, 18; 13, 1-2).

Wieso kann man sagen, daß es sich bei dem geschilderten Tier um ein menschliches Wesen handelt? Die Antwort finden wir in den nächsten Versen.

»Und ich sah einen von seinen Köpfen, der wie geschlachtet war ...« Man beachte hier das Wörtchen »wie«. »... dessen Todeswunde jedoch wieder geheilt wurde. Da sah die ganze Bevölkerung der Erde dem Tier mit Staunen und Bewunderung nach und betete den Drachen an, der dem Tiere die Macht gegeben hatte. Und sie beteten das Tier an und sagten: ›Wer ist dem Tiere gleich, und wer kann den Kampf mit ihm aufnehmen?‹« (Offenbarung 13, 3-4).

Der Antichrist wird in der Bibel das »Tier« genannt. Im 17. Kapitel der Offenbarung lesen wir über das Tier, das aus dem Meere aufsteigt: »Die Wasser, die du gesehen hast, an denen die Buhlerin thront, sind Völker und Scharen und Völkerschaften und Sprachen« (Offenbarung 17, 15).

Mit der Buhlerin ist das religiöse System gemeint, das mit dem Antichristen zu tun haben wird. Mehr hierüber im nächsten Kapitel.

Daß das Tier »aus dem Meere aufsteigt«, bedeutet: Es erhebt sich aus dem Chaos der Völker.

Im Alten Testament spricht der Prophet Jesaja von dem Chaos der Völker, in dem es für die Bösen keinen Frieden geben wird, denn sie gleichen dem »aufgewühlten Meer« – ein symbolisches Bild für die Heidenvölker (Jesaja 57, 20-21).

Wie ein Panther, ein Bär und ein Löwe

»Das Tier, das ich sah, glich einem Panther, doch seine Füße waren wie die eines Bären und sein Maul wie ein Löwenrachen« (Offenbarung 13, 2).

Zum besseren Verständnis dieser Stelle gehen wir noch einmal zurück ins Alte Testament zu dem Propheten Daniel. Wie wir bereits im letzten Kapitel gesehen haben, beschreibt Daniel in seiner Vision von den vier Tieren, die nacheinander aus dem Meere aufsteigen, in bildhafter Sprache die vier aufeinanderfolgenden Weltreiche, indem er sie mit vier wilden Tieren vergleicht.

In Daniel 8 erfahren wir, welche Reiche mit den drei ersten Tieren gemeint sind. Babylon ist einem Löwen,

121

Persien einem Bär und Griechenland einem Panther vergleichbar.

Dann spricht Daniel von dem vierten Reich, das verschieden von allen anderen Reichen sein soll. Es werde die ganze Erde verschlingen und sie zertreten und zermalmen. Gemeint ist hier das Römerreich.

Im Kapitel über das wiedererwachende Rom haben wir erklärt, daß das Römische Reich in einer zweiten Phase noch einmal zu neuem Leben erwachen wird. Aus dem Einflußbereich des ehemaligen Römischen Reiches werden zehn Reiche erstehen und nach ihnen noch ein anderes, das von den vorigen verschieden ist und drei Reiche stürzen wird.

Mit anderen Worten: Der kommende römische Diktator wird einen Zehnstaatenbund beherrschen; sieben Führer dieses Staatenbundes werden mit ihm gemeinsame Sache machen, drei werden sich gegen ihn stellen und ihm zum Opfer fallen.

Jetzt sind wir in der Lage, den Zusammenhang zu überblicken. Die zehn Hörner in Offenbarung 13, Vers 1 beziehen sich also auf diesen Zehnstaatenbund; die sieben Köpfe auf die sieben Führer, die mit dem Antichristen ein Bündnis schließen.

Der Antichrist

Mancher Leser der Offenbarung des Johannes mußte feststellen, daß es schon einer intensiven Beschäftigung mit der endzeitlichen Prophetie bedarf, um die dort geschilderten Vorgänge und Bilder richtig zu deuten. Wer zum Beispiel nicht weiß, was die vier Tiere bedeuten, kann nur schwer etwas mit dem 13. Kapitel anfangen.

Wir wissen mittlerweile, was hier gemeint ist. In Vers 2 von Kapitel 13 wird gesagt, daß das Tier, der römische

Diktator oder Antichrist, einem Panther, einem Bären und einem Löwen gleichen wird. Der Panther ergreift schnell seine Beute; er steht in der Danielschen Weissagung für Griechenland. Der große Feldherr Alexander der Große hatte in erstaunlich kurzer Zeit alle seine Feinde überwunden. Er war furchtlos und stark wie ein Panther. Er hat seine Armeen bis an die Grenzen der damals bekannten Welt geführt.

Der »Bär« bedeutete das medopersische Reich, das durch Alexander überwunden wurde. Jenes Reich war stark wie ein Bär gewesen.

Der Löwe (Babylon) ist ein königliches Tier. Die Art, wie er sich bewegt und sein stolzes Haupt trägt, verdient Bewunderung. Babylon war eine Monarchie. Seine herrlichen Paläste und die hängenden Gärten, die zu den sieben Weltwundern zählten, waren weltbekannt.

Wenn wir das Gesagte auf den kommenden Führer übertragen, so ergibt sich das folgende Bild: Sein Eroberungsfeldzug wird schnell vor sich gehen. Er wird sehr stark und mächtig sowie selbstsicher und stolz sein.

Wichtig ist außerdem die Feststellung, daß der Drache seine Kraft, seine Herrschaft und seine Macht auf den Antichristen überträgt (Vers 2b).

Wer ist der Drache? In der Offenbarung 12, Vers 9 steht die Antwort: »So wurde denn der große Drache, die alte Schlange, die da Teufel und Satan heißt, der Verführer des ganzen Erdkreises, auf die Erde hinabgestürzt.«

Das heißt also, daß der Antichrist von Satan selbst seine Macht empfangen wird. Er wird alle Arten von Wundern wirken können. Deshalb sollte man sich auch als Christ von einem Wunder nicht allzusehr aus der Fassung bringen lassen. Vielleicht handelt es sich manchmal gar nicht um ein göttliches Wunder. Auch Satan vermag Wunder zu wirken und hat es von Anfang an getan.

In der Endzeit wird Satan durch seine menschlichen Werkzeuge alle Arten von übernatürlichen Zeichen vollbringen. Im 2. Thessalonicherbrief Kapitel 2 Vers 9 steht zu lesen, daß der Antichrist in der Kraft Satans mit allerlei Macht und Zeichen und Wundern der Lüge auftreten wird.

Als zweites erhält der kommende Diktator einen Thron, das heißt die Weltherrschaft. Diesen Thron bot der Teufel einst auch Jesus an. In Lukas 4 wird uns berichtet, wie Satan den Herrn vierzig Tage lang in der Wüste versuchte und ihm alle Macht und Herrlichkeit der Welt anbot. Er versprach ihm alle Königreiche, wenn er vor ihm niederfalle und ihn anbete. Nur einer vermochte einem solchen Angebot zu widerstehen: Jesus Christus. Er wies den Versucher zurück. Seine Sendung war das Kreuz.

Der Antichrist wird den angebotenen Thron einmal begeistert annehmen. Man wird ihn anbeten wie Satan, in einer Art und Weise, wie wir es uns in unserer kühnsten Phantasie nicht vorzustellen vermögen.

Es ist heute überall in der Welt festzustellen, daß der Mystizismus, der Okkultismus und die Teufelsanbetung mehr und mehr um sich greifen. In vielen größeren Städten Amerikas gibt es Kirchen, in denen regelrechter Teufelskult praktiziert wird. In einem Zeitungsbericht ist zu lesen: »Mit der Astrologie Hand in Hand gehend, findet sich vielerorts ein steigendes Interesse an Zauberei und Hypnose. An vielen Universitäten und Hochschulen gibt es Kurse über Geschichte der Zauberei und ähnliche Themen.«

Ein Universitätsstudent erzählte mir von einigen seiner Kommilitonen, die sich für einen Lehrgang in Zauberei eingeschrieben hatten, weil sie sich davon praktische Anleitungen erhofft hatten. Als sie dann feststellten, daß der Kurs rein theoretischer Natur war, gingen sie nicht mehr hin.

Die tödliche Kopfwunde

In Offenbarung 13, Vers 3 lesen wir, daß der große Weltdiktator eine tödliche Wunde empfangen und danach wieder genesen wird. Viele können mit dieser Aussage nichts anfangen. Manche sind der Ansicht, der Vers wolle aussagen, daß eines der Reiche des alten römischen Imperiums auf wunderbare Weise wieder aufleben werde. Das ist eine der möglichen Deutungen, die aber, so scheint mir, unrichtig ist. Und zwar aus folgendem Grund:

In Offenbarung 13, Vers 14 lesen wir von dem falschen Propheten, dem Verbündeten des römischen Diktators. Der Vers lautet: »Und er verführt die Bewohner der Erde durch die Wunderzeichen, die er vor den Augen des Tieres vollführt, und beredet die Bewohner der Erde dazu, dem Tier, das die Schwertwunde hat und wieder aufgelebt ist, ein Bild anzufertigen.«

Demjenigen, der die Todeswunde empfangen hat, wird also ein Bild angefertigt, das dann verehrt wird. Bilder fertigt man von Personen an, nicht von einem Reich.

Der Antichrist wird auf dramatische Weise in die Weltpolitik eingreifen. Über Nacht wird er in aller Munde sein. Man wird ihn für ein mit übernatürlichen Kräften ausgestattetes Wesen ansehen, weil er in satanischer Nachäffung der Auferstehung vom Tode genesen ist. Ich glaube nicht, daß es sich dabei um eine wirkliche Rückkehr vom Tode ins Leben handeln wird. Es wird eher so sein, daß er zwar eine lebensgefährliche Verwundung erhält, von der er jedoch vor Eintritt des Todes auf wunderbare Weise wieder geheilt wird. Diese Tatsache wird überall in der Welt große Verwunderung hervorrufen.

Man könnte einen Vergleich zu dem tragischen Tod von John F. Kennedy ziehen. Man stelle sich vor, was geschehen wäre, wenn der Präsident der Vereinigten Staaten, nachdem das tödliche Attentat auf ihn verübt und er für tot erklärt worden war, wieder lebendig geworden wäre. Ein solches Ereignis hätte die Welt erschüttert.

Ähnlich wird die Welt staunen, wenn der kommende Weltführer auf wunderbare Weise von seiner Todeswunde genesen wird. Wahrscheinlich wird er vor dem Ereignis nicht groß in Erscheinung treten. Danach aber wird ihm die ganze Welt nachlaufen.

Seine Persönlichkeit wird eine magnetische Ausstrahlungskraft besitzen, und er wird ein großer Redner sein, der seine Hörer auf unwiderstehliche Weise zu faszinieren weiß.

»Wer ist dem Tiere gleich, und wer kann den Kampf mit ihm aufnehmen?« So wird man allenthalben fragen. Man wird den Antichristen begeistert aufnehmen, weil er den Weltfrieden zu bringen verspricht, nach dem sich jedermann sehnt.

Wir erinnern uns, daß die »Pax Romana«, der römische Friede, der Grund dafür war, daß die Provinzbewohner bereitwillig Rom als ihren Herrn anerkannten und schließlich sogar den römischen Cäsaren göttliche Ehren erwiesen. Gesetz und Ordnung, Friede und Sicherheit, Freiheit von Krieg – diese alten Sehnsüchte des Menschen, die damals mächtig zum Ausdruck kamen, werden auch, so sagt es die Bibel, vor dem Auftreten des Antichristen die Menschen stark beherrschen. Wenn er kommt, wird man der Kriege so sehr müde geworden sein, daß man ihm bereitwillig die Führung überläßt, weil er den Menschen den Frieden in der Welt verspricht.

Noch an einer anderen Stelle in der Bibel lesen wir, wie Menschen zu jener Zeit sprechen werden: »Wenn sie sagen: Jetzt herrscht Friede und Sicherheit, gerade dann überfällt sie das Verderben plötzlich wie die Wehen eine schwangere Frau, und sie werden sicherlich nicht entrinnen« (1. Thessalonicher 5, 3).

Die Völker sehnen sich immer mehr nach einem »starken Mann«. Erinnern wir uns an die Worte von Toynbee: »Wir sind bereit, einen neuen Cäsar zu vergöttern, dem es vielleicht gelingen könnte, der Welt Einheit und Frieden zu schenken.«

Ich bin der Gott

Der Antichrist wird sich selbst zum Gott erklären so wie einst die römischen Cäsaren. Er fordert für sich göttliche Verehrung und setzt sich in den Tempel Gottes (2. Thessalonicher 2, 4).

Es gibt nur einen Ort, an dem sich der Tempel Gottes befinden kann, und das ist der Berg Morija in Jerusalem, die Stelle, wo sich heute der Felsendom und andere Heiligtümer des Islam befinden. Es gibt viele Stellen in der Bibel, die besagen, daß die Juden dereinst dort ihren Tempel wieder erbauen werden.

Der Antichrist, in 2. Thessalonicher der »Gesetzlose« genannt, wird in einer Zeit der Anarchie die Weltbühne betreten. Darum wird er auch bereitwillig von den Völkern anerkannt werden.

Vielleicht fragen Sie: Wie kann der Antichrist an die Macht gelangen, wenn sich die Gemeinde Jesu noch in der Welt befindet?

Das kann nicht geschehen! Wie wir in 2. Thessalonicher 2, 6-12 lesen, hält die Kraft des Heiligen Geistes in den gläubigen Christen das Auftreten des Antichristen

noch auf. Erst wenn der Heilige Geist von der Erde weggenommen sein wird, kann der Antichrist an die Macht
gelangen. Mehr Einzelheiten darüber in unserem Kapitel
»Die letzte Reise«.

Dreieinhalb Jahre an der Macht

»Und es wurde ihm ein Maul gegeben, das große Worte
und Lästerungen ausstieß, und es wurde ihm Vollmacht
gegeben, es zweiundvierzig Monate lang so zu treiben«
(Offenbarung 13, 5).

Zweiundvierzig Monate sind dreieinhalb Jahre, und
zwar handelt es sich um die dreieinhalb Jahre vor der persönlichen, sichtbaren Wiederkunft Christi auf diese
Erde. Diese Zeit wird die Regierungszeit Hitlers, Stalins
und Maos an Grausamkeit weit übertreffen, denn der
Antichrist wird in der Kraft Satans ein absolutes Regi-
ment führen.

»Da öffnete er sein Maul zu Lästerungen gegen Gott,
um seinen Namen und sein Zelt, nämlich die, welche ihre
Wohnungen im Himmel haben, zu lästern« (Offenbarung 13, 6).

Das ist eine interessante Aussage. Warum lästert der
Antichrist die Heiligen im Himmel, und wer sind diese?
Warum kümmert er sich überhaupt um sie? Sie und ich
werden einmal im Himmel wohnen, sofern wir hier auf
Erden wahrhaft an Christus als unseren Erlöser geglaubt
haben. Wenn wir, wie es meiner Auffassung nach die
Schrift beweist, in jener Zeit entrückt worden sind, muß
der Antichrist doch vor der Welt erklären, warum mit einemmal viele Millionen »religiöse Schwärmer« verschwunden sind! Ihm bleibt dann nichts anderes übrig,
als den christlichen Glauben lächerlich zu machen, das
heißt Gott und die Christen zu verhöhnen und zu lästern.

»Auch wurde ihm gestattet, Krieg mit den Heiligen zu führen und sie zu besiegen« (Offenbarung 13, 7a).

An dieser Stelle erhebt sich die logische Frage, wie er mit denen Krieg führen kann, die sich dann überhaupt nicht mehr auf der Erde befinden. Hier sind aber nicht die Entrückten gemeint, sondern diejenigen, die sich während der Zeit der Trübsal zu Christus bekehren werden. Nachdem die christliche Gemeinde von der Erde durch Jesus weggenommen, das heißt entrückt worden ist, offenbart sich Gott in besonderer Weise an 144 000 Juden, die daraufhin vom Glauben an Jesus als dem Messias so durchdrungen werden, daß sie als Evangelisten in die Welt ziehen. Dann wird die Erde eine Blüte der Evangelisation erleben wie nie zuvor. Unzählige werden sich bekehren (Offenbarung 7, 4-14). Daraufhin wird eine unbarmherzige Christenverfolgung losbrechen.

»Und Macht wurde ihm verliehen über alle Stämme und Sprachen und Völker und Völkerschaften« (Offenbarung 13, 7b). Der Antichrist wird dann absoluter Herrscher über die ganze Welt sein. Er wird der zukünftige »Führer« sein!

Wer wird ihn anbeten?

»So werden ihn denn alle Bewohner der Erde anbeten, alle, deren Name nicht im Lebensbuche des geschlachteten Lammes seit Grundlegung der Welt geschrieben steht« (Offenbarung 13, 8).

Die im Buche des Lebens Verzeichneten sind jene, die Jesus Christus ganz persönlich im Glauben als ihren Erlöser von der Sünde angenommen haben. Jesus ist das »Lamm, das geschlachtet wurde«.

Hunderte von Stellen des Alten Testaments sprechen vom Kommen Jesu als dem Retter der Welt. Allein über

300 spezifische Voraussagen haben sich während seines Erdenwandels buchstäblich erfüllt. Sie beweisen in überzeugender Weise seine Sendung als Messias.

Das Lamm hat ein Buch, das den Namen eines jeden enthält, der glaubt, daß Jesus mit seinem Blut für die Sünde der Welt bezahlt hat. Durch die ganze jüdische Geschichte hindurch stand das Passahlamm symbolisch für ein Opfer. Es ist geradezu unglaublich, daß so viele Juden damals in Jesus nicht das wahre Lamm Gottes zu erblicken vermochten, das er doch war.

Als Johannes der Täufer, einer der größten Propheten aller Zeiten, Jesus zuerst erblickte, rief er aus: »Seht das Lamm Gottes, das die Sünde der Welt hinwegnimmt!« (Johannes 1, 29). In diesem Ausspruch faßte er die ganze Aussage des Alten Testaments zusammen. Alles darin wies auf Jesus hin.

Wer wird nun dereinst den Antichristen anbeten? Ein jeder, der nicht an Christus glaubt.

Der falsche Prophet

In Offenbarung 13, 11-18 lesen wir von dem falschen Propheten. Er wird das zweite Tier genannt und ist wahrscheinlich ein Jude aus dem Stamme Dan, einem der zwölf Stämme, von denen die Israeliten ihre Herkunft ableiten.

Der falsche Prophet, so wird er in Offenbarung 19, 20 und 20, 10 genannt, wird ein Meister der satanischen Zauberei sein. Er ist das teuflische Gegenbild zu Johannes dem Täufer und tut alles zur Verherrlichung des römischen Diktators. Er proklamiert ihn als Retter der Welt und läßt ihm göttliche Ehre erweisen.

Wie gelingt es ihm wohl, für den Antichristen göttlichen Kult zu erzwingen? Er wird das ganze Wirtschaftsleben kontrollieren. Jeder, der dem Diktator die Verehrung verweigert, wird wirtschaftlich ruiniert oder ums Leben gebracht. Zur Kontrolle erhält jeder loyale Bürger ein Zeichen an der Stirn oder Hand. Wer das Zeichen nicht besitzt, ist als Staatsfeind gebrandmarkt.

Symbolisch wird dieses Zeichen 666 genannt. Die Sechs steht in der Bibel für die Zahl des Menschen. Die Dreizahl oder Drei ist die Zahl Gottes. Folglich stehen drei Sechsen für den Menschen, der sich zu Gott macht.

Es erhebt sich nun die Frage: Gibt es überhaupt Möglichkeiten, alle Menschen wirtschaftlich unter Kontrolle zu bekommen? In unserer Welt der Computer ist es tatsächlich heute schon so, daß jeder Mensch mit einer Nummer registriert wird. Da er in jener Zeit nur mit Hilfe seiner Nummer seine Geschäfte tätigen kann, ist diese Kontrolle leicht durchzuführen. Stände seine Nummer einmal auf der »schwarzen Liste«, wäre er verloren.

Im Hintergrund

Was heute in der Welt geschieht, ist Wegbereitung für das Auftreten des Antichristen. Wer es sein wird und ob er schon heute im Hintergrund wirkt, wissen wir nicht. Man wird ihn erst erkennen, wenn er von einer Todeswunde auf wunderbare Weise genesen wird.

Der Christ braucht sich vor jener Zeit nicht zu fürchten, denn wir glauben, daß die Gemeinde Jesu vor dem kommenden Chaos zu ihrem Herrn entrückt werden und nicht mehr irdischer Zeuge der Schreckensherrschaft des Antichristen sein wird.

*Geliebte, schenket nicht jedem Geiste Glauben, sondern prü-
fet die Geister, ob sie aus Gott sind; denn viele falsche Propheten sind in die Welt ausgezogen* (1. Johannes 4, 1).

KAPITEL 10

DAS GEHEIMNIS BABYLON

Wir haben nicht die Absicht, zu schockieren oder gar zu
beleidigen. Die biblische Weissagung ist ein wichtiger
Teil der Heiligen Schrift; man sollte sie jedoch nie zur
Sensationslust mißbrauchen. Manches an der Symbolik
dieses Kapitels mag dem modernen Ohr seltsam vorkommen, und die Kritik an heute existierenden Weltanschauungen löst vielleicht bei dem einen oder anderen Leser
ein Gefühl der Abwehr aus. Andererseits sollte man sich
darüber klar sein, daß man Gottes Wort, wenn es klare
und eindeutige Aussagen bezüglich bestimmter Dinge
macht, auf keinen Fall abschwächen und verwässern darf.

Immer wieder stoßen wir in den Evangelien auf Be-
richte, wie Jesus mit der religiösen Obrigkeit und den falschen Propheten seiner Zeit, die in ihren buntschillern-
den Gewändern selbstgewirkter Rechtschaffenheit die
Menschen in die Irre führten, äußerst hart ins Gericht
ging. Er bezeichnet sie als Heuchler, Toren, übertünchte
Gräber und Otterngezücht. Fürwahr, keine Schmeicheleien. Jesus war diesen Leuten gegenüber alles andere als
»tolerant« im heutigen Sinne.

Aus der Bibel erfahren wir, daß vor der siebenjährigen
Trübsalszeit ein religiöses System entstehen wird, die den
Antichristen in seinem Machtstreben, sich die Welt zu

unterwerfen, unterstützen wird. Eine Zeitlang wird dieses religiöse System sogar mächtiger sein als der Weltdiktator.

In der Heiligen Schrift wird die falsche Welteinheitsreligion mit verschiedenen Namen belegt, die aber im Grunde alle das gleiche aussagen. Sie heißt die große Hure oder Buhlerin. Damit soll gesagt werden, daß diese falsche Religion ihre wahre Berufung als Braut Christi verraten hat und sich den falschen menschlichen Religionen preisgibt.

An anderer Stelle wird sie mit »Babylon« bezeichnet. Daß ein Ort symbolisch für andere Begriffe stehen kann, erleben wir auch in unserer Zeit. Wenn wir Broadway sagen, denken wir an das Theaterleben; die Madison Avenue erinnert uns an die Welt der Reklame, die Wallstreet läßt uns an die Hochfinanz denken. So steht hier in der Offenbarung des Johannes Babylon für die kommende falsche Weltreligion.

Es ist ein Rätsel

Man muß immer wieder staunen, wie die in der ganzen Schrift verstreuten Prophezeiungen zusammengenommen ein genaues Bild vom endzeitlichen Geschehen geben. Nur eine Aussage ist mir immer ein Rätsel geblieben. Die Bibel spricht sehr eingehend von einer mächtigen endzeitlichen Einheitsreligion, die sich vor der Entstehung des antichristlichen Weltreiches bilden soll. Diese Aussage schien bis vor kurzem noch in so weiter Ferne zu liegen, daß man sich kaum etwas Rechtes darunter vorzustellen vermochte. Gibt es nicht viele verschiedene Religionen und Weltanschauungen, die alle um die Gunst der Menschen werben? Wie konnte man da an eine Einheitsreligion denken? Noch vor fünf Jahren konnte ich persönlich an den meisten Universitäten, an die mich meine ausgedehnten Reisen führten, in intellektuellen Kreisen nur Ablehnung allem Übernatürlichen gegenüber feststellen. Religion betrachtete man als »Krücke« für die Schwachen, die so etwas brauchten, oder bestenfalls noch als ein System strenger Vorschriften, die es sich nicht lohnte, näher in Augenschein zu nehmen oder gar zu befolgen.

An dieser Stelle möchten wir darauf aufmerksam machen, daß wir, wenn wir von »Religion« sprechen, nicht den Glauben an Jesus Christus meinen. Dieser Glaube ist keine »Religion« im eigentlichen Sinne. In den Religionen versucht der Mensch, durch eigene Leistung und Anstrengungen vor Gott bestehen zu können, indem er aus eigener Kraft nach Vollkommenheit strebt. Im Christentum ergreift Gott selber die Initiative und beugt sich gnadenvoll zum Menschen herab. Das Christentum lehrt, daß der Mensch aus eigener Kraft nicht zu Gott gelangen kann, sondern nur dadurch, daß er einen ganz bestimmten Weg wählt: den Glauben an den Erlöser Jesus Christus, den Sohn Gottes.

Aber in den letzten paar Jahren hat sich die Szene stark gewandelt. Viele Intellektuelle, die sich früher über »Religion« lustig machten, sind heute überzeugte Anhänger der Astrologie, des Spiritismus und so weiter; alles Strömungen, die zur Zeit einen starken Aufschwung zu verzeichnen haben. Was bedeutet das alles? Steht es irgendwie im Zusammenhang mit der biblischen Prophetie?

Wir meinen, daß einerseits der Zusammenschluß vieler Glaubensgemeinschaften in der ökumenischen Weltbewegung sowie andererseits das erstaunliche Wiederaufblühen des religiösen Sternenkults, der Zauberei und des Aberglaubens aller Schattierungen, Schritte auf dem

Weg zur Bildung eines großen religiösen Einheitssystems bilden, das später dem Antichristen Wegbereiter und Helfer sein wird. Zum besseren Verständnis dieser Entwicklung in bezug auf eine allumfassende Welteinheitskirche müssen wir sorgfältig die einschlägigen Bibelstellen studieren. Dabei werden wir feststellen, daß Gottes Wort für unsere Zeit eine brennende Aktualität besitzt.

Ursprung der Astrologie

Viele Zeitschriften berichten heutzutage über astrologische Themen. Manche Artikel sind recht aufschlußreich in bezug auf die Geschichte der Astrologie, aber nur wenige beziehen sich auch auf das beste aller Geschichtsbücher, die Bibel.

Schon im ersten Buch der Bibel, der Genesis, erfahren wir, daß die Astrologie aus Babylon stammt. Diese Tatsache bezeugen heute auch der Bibel fernstehende Fachleute. In 1. Mose 11 lesen wir von der ersten astrologischen Sternwarte der Welt.

Nach der Sintflut, so wird uns dort berichtet, besaß die ganze Menschheit nur eine einzige Sprache. Die damals lebenden Menschen siedelten sich im Lande Sinear an, einem Gebiet nahe dem Zusammenfluß von Euphrat und Tigris. Hier entstand das alte Babylon, eine der ältesten Stätten der Zivilisation.

»Sie sprachen: ›Auf! Wir wollen uns eine Stadt und einen Turm bauen, dessen Spitze bis an den Himmel reichen soll‹« (1. Mose 11, 4).

Die Stadt, die sie bauten, war Babylon, und der Turm war der berühmte Turm zu Babel. Interessant in diesem Zusammenhang ist, daß im Originaltext für »Turm« ein Wort steht, das auch »Ziggurat« bedeuten kann. Unter Ziggurat verstehen wir Türme, die in der alten babylonischen Kultur als Sternwarten dienten, von denen aus die babylonischen Priester den Lauf der Sterne verfolgten.

Im Urtext dieses Verses fehlen auch die Worte »reichen soll«. Daraus ist zu ersehen, daß die Baumeister damals wohl genügend Kenntnisse besaßen, um zu wissen, daß ihr Turmbau niemals im wörtlichen Sinn den Himmel erreichen könnte. Wären sie dieser Meinung gewesen, hätten sie töricht sein müssen. Der Turm mit der Spitze an den Himmel sollte besagen, daß man von dort oben den Lauf der Sterne beobachten, ihre Bahnen berechnen und astrologische Voraussagen machen wollte. Henry H. Halley, der Herausgeber des biblischen Handbuches, das seinen Namen trägt, ist der Auffassung, daß der einzige Zweck dieser Ziggurate der religiöse Sternenkult war.

Über den Ursprung der Astrologie erfahren wir auch etwas aus den Hieroglyphenzeichen der alten Chaldäer. Sie legten den Sternen gewisse Bedeutungen bei; sie unterteilten den Himmel in zwölf Tierkreiszeichen und behaupteten, das Schicksal der Menschen werde von den Sternen bestimmt. Seine Hochblüte erreichte der Sternenkult im babylonischen Reich, das von der Priesterkaste der Chaldäer gegründet wurde. Die Chaldäer bildeten später die Aristokratie der Priesterschaft. Sie waren im Reiche hoch angesehen. Die Könige ließen ihnen riesige Beobachtungstürme für ihre Sterndeuterei erbauen. Sie waren fast so mächtig wie der König selbst.

Für Gott war der Sternenkult ein Greuel; er zerstörte den babylonischen Turm. Nimrod, der erste Weltdiktator, war Anstifter des Turmbaus. Er hat damit zweifellos ein Symbol der Einheit schaffen und mit Hilfe des religiösen Sternenkultes die Weltherrschaft ausüben wollen. Er hatte allerdings nicht mit Gott gerechnet. Gäbe es nur einen Weltherrscher, könnte dem Bösen nicht mehr Einhalt geboten werden. Gott zerstörte den Turm und führte damit einen Wendepunkt in der menschlichen Geschichte herbei. Hatte es bisher nur eine einzige Sprache gegeben, so gab es durch die Sprachenverwirrung nun viele verschiedene Sprachen, und die Menschen zerstreuten sich über die ganze Erde.

Unsere Bibelstelle zeigt, daß die Nationalstaaten im Plane Gottes liegen. Eine Welteinheitsregierung im göttlichen Sinne wird es erst dann geben, wenn der Friedensfürst Jesus Christus selbst die Herrschaft übernehmen wird.

Die Schrift sagt für die Endzeit einen antigöttlichen Weltherrscher voraus, der mit Hilfe der alten Religion, dem Geheimnis Babylon, vorübergehend zur Weltherrschaft gelangen wird. Es ist die gleiche Religion, die damals den ersten Weltdiktator Nimrod hervorbrachte.

Manche Hellseher sagen heute, ohne eine Kenntnis der biblischen Prophetie zu besitzen, die gleichen Ereignisse voraus wie die Heilige Schrift. Eine Veröffentlichung, die sich mit psychischen Phänomenen befaßt, brachte kürzlich einen Artikel, in dem es hieß: »Die Geschichte und viele Zeichen der Zeit weisen darauf hin, daß sich die Menschheit auf einen neuen Weltherrscher vorbereitet.« Der Verfasser, der sich in dem Artikel mit dem Phänomen der außersinnlichen Wahrnehmung, der außerbiblischen Prophetie und dem geistigen Heilen befaßt, schildert verschiedene Ereignisse, die dem Auftreten des neuen »Führers« vorausgehen werden. Es heißt da: »Die Zustände werden sich wandeln, und zur gegebenen Zeit werden die Menschen in ein neues Zeitalter geführt werden, indem sie zu Fähigkeiten gelangen, die von ihren jetzigen verschieden sein werden. Es wird Hellsichtigkeit und Telepathie geben wie vor der Zeit des fälschlich so genannten Turmbaus zu Babel. Damals hatte die Menschheit durch Mißbrauch bestimmter Kräfte ihre telepathischen Fähigkeiten für eine Zeitlang verloren. Das wird jedoch nicht immer so bleiben« (»Chimes«, Oktober 1968).

Die Verurteilung des Mysteriums Babylon

Der große Prophet Jesaja gibt uns im 47. Kapitel seines Buches eine eingehende Beschreibung der babylonischen Religion. Sein Urteil darüber ist auch für uns heute von größter Bedeutung, da auch wir im 20. Jahrhundert mit ähnlichen Weltanschauungen konfrontiert werden.

In Jesaja 47, 1 heißt es: »Herunter mit dir vom Thron und setze dich in den Staub, jungfräuliche Tochter Babel! Setze dich auf den Erdboden ohne Thron nieder, Tochter der Chaldäer! Denn in Zukunft wird man dich nicht mehr die Zarte und Feine nennen.«

In Vers 5 heißt es weiter: »Setze dich schweigend nieder und tritt in die Dunkelheit ein, denn in Zukunft wird man dich nicht mehr Herrin der Königreiche nennen.«

Der Prophet schildert dann die Bosheit Babylons und begründet, warum das Gericht Gottes über das Land kommen werde. Babylon hat sich immer mehr vom wahren Gott entfernt und sich immer tiefer in weltliches Wesen verstrickt. Es wurde durch seine Weisheit und Erkenntnis verdorben. »Plötzlich« soll das Gericht über es kommen.

Man beachte, daß Babylon vor allem die Zauberei zum Vorwurf gemacht wird. Auf diese Tatsache werden wir noch näher eingehen müssen. Auch »die Astrologen und Sterndeuter, die jeden Monat voraussagen, was dich treffen wird«, vermögen das Schicksal des Landes nicht zu wenden.

Die Tatsachen

Wenden wir uns dem Propheten Daniel zu, der, wie wir schon gesehen haben, Wichtiges über die Endzeit auszusagen hat. Er macht Voraussagen von weltgeschichtlicher Bedeutung, die zum Teil bereits eingetroffen sind, zum Teil noch vor der Verwirklichung stehen. Daniel war ein hebräischer Adliger, der von König Nebukadnezar in Babylon gefangengehalten wurde. Hier hatte er zusammen mit mehreren anderen jüdischen Jünglingen edler Herkunft wegen seiner überragenden Klugheit die Schule der Weisen besucht, sich aber trotz des verderblichen Einflusses der babylonischen Religion seinen Glauben an den wahren Gott Israels bewahrt. Das muß eine ungeheure Glaubensprüfung gewesen sein, denn er wurde buchstäblich einer Gehirnwäsche unterzogen. Aber er blieb bei seinem Glauben an Gott und widerstand allen Versuchungen. Einst hatte der König Nebukadnezar einen Traum, der ihn arg bekümmerte und ihm schlaflose Nächte verursachte. Da ließ er alle seine Weisen herbeirufen, »die Gelehrten und Beschwörer, die Zauberer und Chaldäer« (Daniel 2, 2).

Hier haben wir eine Aufzählung der vier Klassen der babylonischen Weisen vor uns. Die erste Klasse umfaßte die Gelehrten, das heißt die Schriftgelehrten, die als Hüter der heiligen Mysterienschriften bestellt waren. Diese schriftliche Tradition stammte zum Teil noch aus der Zeit des Turmbaus zu Babel und wurde getreulich von Generation zu Generation weitergegeben. Sie war jedoch nur einem kleinen Kreis von Eingeweihten bekannt. Die babylonischen Bücher über Astrologie, Magie und Schwarze Kunst gehören mit zur ältesten Menschheitsliteratur.

Die zweite Klasse der Weisen waren die Beschwörer oder Magier, die sich für ihre Praktiken der Medien bedienten. Sie arbeiteten mit geheimen Zaubersprüchen und Zaubergesängen, die sie leise vor sich hinmurmelten und mit deren Hilfe sie angeblich Teufel auszutreiben vermochten.

Die dritte Klasse umfaßte die Zauberer. Sie beschäftigten sich mit der schwarzen Magie. Im Urtext steht das gleiche Wort wie in 2. Mose 7, 11, wo von den Zauberern des ägyptischen Pharaos die Rede ist. Auch sie vermochten mit Hilfe der Schwarzen Kunst, vor dem Pharao verschiedene Wunder Moses nachzuahmen. Beispielsweise verwandelten sie Wasser in Blut. Als Aaron seinen Stab auf die Erde warf und dieser sich in eine Schlange verwandelte, taten sie es ebenso. Erst als Mose mit Gottes Hilfe Wunder vollbrachte, die den ägyptischen Zauberern unmöglich waren, sahen sie die Hand Gottes im Spiel. Die Ägypter hatten ihre Zauberkünste von den alten Babyloniern übernommen.

Die vierte Klasse der Weisen waren die Chaldäer, die Priesterklasse. Überall, wo das Wort »Chaldäer« vorkommt, steht es irgendwie in Zusammenhang mit der Astrologie. Die Chaldäer waren die Fachastrologen jener Zeit, die den Königen und hohen Beamten des Reiches Horoskope stellten. Dazu benötigten sie den genauen Geburtstag beziehungsweise die Geburtsstunde des Betreffenden und sagten dann sein Lebensschicksal voraus. Das babylonische Denken hat die ganze aramäische Welt durchdrungen, und wir finden noch heute vieles davon bei den Arabern und Persern und anderen Völkern. Man denke nur an den Begriff des »Kismet«. Kismet bedeutet das unausweichliche Schicksal des Menschen; was geschehen wird, wird geschehen. Die Astrologen von damals waren überzeugt, daß die Lebensschicksale der Menschen schon vor ihrer Geburt in den Sternen vorgezeichnet waren, das heißt, daß der Mensch sein ihm bestimmtes Geschick nicht zu beeinflussen oder gar zu ändern vermöchte.

Die babylonischen Könige unternahmen nichts, ohne zuvor ihre Astrologen befragt zu haben. Die Medoperser taten es ihnen nach der Eroberung Babylons nach. Auch sie hatten ihre Hofastrologen und Weisen. Selbst Alexander der Große war von seinen Astrologen abhängig. Von Griechenland aus gelangte die Astrologie nach Rom. Die Cäsaren befragten ihre Auguren, die Experten auf dem Gebiet der Astrologie, des Spiritismus und der Schwarzen Magie waren.

Als Nebukadnezar seine Weisen um Rat fragte, konnte niemand seinen Traum wiedergeben, geschweige denn deuten. Nur Daniel erwies sich als echter Prophet. Er erzählte dem König, was dieser geträumt hatte und gab dann die Deutung. Damit hatte er seine »Kollegen« als Betrüger entlarvt.

Nebukadnezars Traum enthält den gesamten Verlauf der Weltgeschichte bis zum zweiten Kommen Christi.

Wie sich bei Daniel zeigt, vermögen die Astrologen nichts über die Zukunft vorauszusagen. In den Augen Gottes ist die Kunst der Astrologen ein Greuel. Nach dem Gesetz Moses waren die Astrologen jener Zeit der Todesstrafe verfallen. Die Astrologie bildete das Rückgrat der alten babylonischen Religion. In Wirklichkeit hängt das menschliche Geschick nicht von den Sternen ab, sondern allein von Gott.

Ein jeder, der der Astrologie und ähnlichen Künsten hörig wird, verfällt dem Urteil Gottes, wie es einst die Israeliten erleben mußten, als im Jahre 606 v. Chr. ihr Land zerstört und sie selbst in die Verbannung geschickt wurden, weil sie dem Götzendienst, besonders dem Sternenkult, gehuldigt hatten. In 2. Könige 23 lesen wir, wie der König Josia im Auftrage Gottes alle Höhenheiligtümer zerstörte und die Priester absetzte, die dem Baal, der Sonne, dem Mond, den Bildern des Tierkreises und dem ganzen Sternenheer des Himmels geopfert hatten.

Das Emporkommen einer Welteinheitsreligion

Jetzt kommen wir zu einigen der wichtigsten prophetischen Stellen der Schrift für unsere Zeit. In Offenbarung 17 hat der Apostel Johannes eine Vision über die Zukunft, genauer gesagt über die letzten sieben Jahre vor der sichtbaren Wiederkunft Christi. Es handelt sich hier um eines der wichtigsten Kapitel der biblischen Prophetie, über das wir unbedingt Bescheid wissen müssen. Darin wird die kommende Einheitsreligion entlarvt, die alle falschen Religionen in einem einheitlichen System zusammenfassen wird. Mit ihrer Hilfe wird der Antichrist zum Weltbeherrscher werden, zuerst von Rom und schließlich von Jerusalem aus.

Die große Hure

In Offenbarung 17, 3-5, lesen wir: »So entführte er mich im Geiste in eine Wüste; und ich sah dort ein Weib auf einem scharlachroten Tier sitzen, das mit gotteslästerlichen Namen übersät war und sieben Köpfe und 10 Hörner hatte. Das Weib war in Purpur und Scharlach gekleidet und mit Gold, Edelsteinen und Perlen reich geschmückt; in ihrer Hand hielt sie einen goldenen Becher, der mit götzendienerischen Greueln und mit dem Schmutz ihrer Buhlerei gefüllt war. Und auf ihrer Stirn stand ein Name geschrieben, ein Geheimnis: ›*Groß Babylon, die Mutter der Buhlerinnen und der Greuel der Erde!*‹«

Dem Bibelleser fällt es oft schwer, die Symbolik dieser Stelle recht zu verstehen. Die Begriffe »Mutter der Buhlerinnen« beziehungsweise »große Buhlerin« bedürfen der Erklärung. Nur wenn wir verstehen, was hier gemeint ist, können wir den tiefgreifenden Unterschied zwischen dem christlichen Glauben und allen sogenannten »Religionen« begreifen. Die Kirche, für die der Seher Johannes das symbolische Bild von der großen Hure gebraucht, behauptet zwar, die mystische Braut Christi zu sein; in Wirklichkeit ist sie jedoch im geistlichen Sinn eine Buhlerin. Sie gibt vor, Gott anzugehören, in Wirklichkeit hat sie sich jedoch einem falschen religiösen System verschrieben.

Die Hauptbetonung in Kapitel 17 liegt auf dem Geheimnis Babylon. »Ich sah das Weib trunken vom Blut der Heiligen und der Zeugen Jesu. Bei ihrem Anblick geriet ich in großes Staunen. Da sagte der Engel zu mir: Warum bist du so erstaunt? Ich will dir Aufschluß geben über das Geheimnis des Weibes und des Tieres, auf dem sie sitzt und das die sieben Köpfe und die zehn Hörner hat« (Offenbarung 17, 6-7).

In unserem Kapitel über den »kommenden Führer« haben wir eingehend über die Bedeutung des Tieres gesprochen. Die zehn Hörner versinnbildlichen, wie wir gesehen haben, das wiedererwachte Römische Reich beziehungsweise einen Zehnstaatenbund.

Das Bild von der Frau, die auf dem Tier reitet (das Geheimnis Babylon), zeigt uns, daß die Frau das Tier beherrscht. Geschichtlich betrachtet, hat das Geheimnis Babylon, das heißt die babylonische Mysterienreligion, viele Reiche beherrscht. Beachten wir, was der Apostel Johannes über die Reiche zu sagen hat, über die die Frau geherrscht hat. »Hier ist Verstand erforderlich, der mit Weisheit gepaart ist. Die sieben Köpfe sind sieben Berge, auf denen das Weib thront und bedeuten zugleich sieben Könige. Fünf von ihnen sind [bereits] zu Fall gekommen, der eine [sechste] ist [jetzt] da, der andere [siebte] ist noch nicht gekommen, und wenn er gekommen ist, darf er nur eine kurze Zeit bleiben« (Offenbarung 17, 9-10).

Wir müssen diese Schilderung aus dem Blickwinkel des Apostels Johannes betrachten, der die Offenbarung um 95 n. Chr. geschrieben hat. Er spricht von den sieben Reichen, von denen fünf bereits gefallen sind. Welche Reiche sind hier gemeint, über die die babylonische Mysterienreligion geherrscht hat, die aber bereits zu Lebzeiten des Johannes der Vergangenheit angehörten? Das erste Reich war das chaldäische oder altbabylonische Reich. Die zweite Weltmacht war Ägypten. Die großen ägyptischen Pyramiden dienten nicht nur den Pharaonen als Begräbnisstätten, sondern besaßen auch noch eine geheime astrologische Bedeutung. Ebenso das riesige steinerne Standbild der Sphinx, eine Statue mit Löwenleib und Frauenkopf. Das Wort »Sphinx« bedeutet im Griechischen soviel wie zusammenfügen. Der Tierkreis beginnt mit dem Zeichen der Jungfrau (»Virgo«) und endet mit dem Zeichen des Löwen (»Leo«). In der Sphinx verbindet sich Jungfrau mit Löwe, das heißt Beginn und Ende des Tierkreises. Der ganze Tierkreis ist so gleichsam symbolisch in der Sphinx versinnbildlicht.

Das nächste Weltreich, das von der babylonischen Religion geprägt war, war das neubabylonische Reich unter seinen berühmten Herrschern. Als viertes Reich ist in diesem Zusammenhang das medopersische Reich zu betrachten und als fünftes das griechische.

Johannes sagt: »Fünf sind bereits zu Fall gekommen, der eine [sechste] ist [jetzt] da.« Zur Zeit des Johannes übte Rom die Weltherrschaft aus. Auch in Rom war das Geheimnis Babylon am Werk und beeinflußte in starkem Maße die Entscheidungen der Konsuln und später der Kaiser. Das andere Reich »ist noch nicht gekommen«.

Hiermit ist das wiedererwachende Römische Reich, der Zehnstaatenbund, gemeint.

Der Nährboden für das Emporkommen des Antichristen ist die Kultur des alten Römischen Reiches. Er wird die Macht im kommenden Zehnstaatenbund übernehmen und »der achte« König sein und »trotzdem zu den sieben Königen« gehören.

Wir meinen, daß wir in unseren Tagen neben vielen anderen Zeichen der Endzeit das Erwachen des Geheimnisses Babylon feststellen können. Nicht nur in der Astrologie, sondern auch im Spiritismus und Drogenmißbrauch erleben wir eine Rückkehr zu der Sehnsucht des Menschen nach dem Übernatürlichen.

Weitere Einsicht in das Wesen der kommenden Welteinheitsreligion gibt uns Offenbarung 9, 20. »Doch die übrigen Menschen, die durch diese Plagen nicht ums Leben gekommen waren, bekehrten sich trotzdem nicht von ihrem gewohnten Tun, daß sie von der Anbetung der bösen Geister und der Götzenbilder aus Gold und Silber, von Erz, Stein und Holz, die doch weder sehen noch hören noch gehen können, abgelassen hätten.«

Manche werden vielleicht den Gedanken absurd finden, daß in unserer modernen Zeit der Bilderdienst noch einmal in Schwung kommen soll. Aber selbst im aufgeklärten Amerika wachsen die Kultgemeinschaften ständig, die Stein- und Metallbilder anbeten. An einer kalifornischen Universität wurde kürzlich beim Morgengrauen eine Gruppe junger Männer beobachtet, die offenbar eine primitive Form des Sonnendienstes betrieben. Über ihr recht seltsames Tun befragt, erklärten sie, sie gehörten einer Kultgemeinschaft an, welche die Elemente verehrten und Bilderdienst trieben.

Johannes fährt in Vers 21 weiter fort: »Nein, sie bekehrten sich nicht von ihren Mordtaten und Zaubereien.«

Ein Wort in diesem Vers ist besonders wichtig: »Zaubereien«, das von dem griechischen Wort »pharmakeia« herkommt. Das deutsche Wort »Pharmazie« hat den gleichen Ursprung. »pharmakeia« bedeutet hier eine Art von okkultem Götzendienst oder Schwarzer Magie in Verbindung mit dem Gebrauch von Drogen. Das Wort kommt in der Offenbarung des Johannes mehrmals vor. Von dem großen religiösen System der Endzeit heißt es: »Durch deine Zauberkünste sind alle Völker der Erde verführt worden.«

Man hört heute fast täglich von der alarmierenden Zunahme des Rauschgiftmißbrauchs nicht nur unter Studenten, sondern schon bei den Schülern bis in die unteren Jahrgänge hinein. Die Rauschgiftsucht breitet sich in einem solchen Maße aus, daß die entsprechenden Statistiken in kürzester Zeit wieder überholt sind. Die Behörden, die sich mit Rauschgiftdelikten zu befassen haben, sind alarmiert und sprechen bereits von einer »Drogenepidemie«. Ein führender amerikanischer Beamter in der Rauschgiftbekämpfung äußerte: »Was heute aus Veröffentlichungen über die Festnahme und Entwöhnungsmaßnahmen jugendlicher Rauschgiftsüchtiger zu entnehmen ist, bewegt sich nur an der Oberfläche. Es ist wie bei einem Eisberg, von dem nur die Spitze über die Oberfläche herausragt. Was darunter liegt, ist unbekannt. Die eigentliche Gefahr liegt in den Abertausenden von Drogensüchtigen und Zulieferern, die nie ermittelt werden.«

Ich habe mich immer wieder über Menschen wundern müssen, denen die endzeitlichen Zusammenhänge ganz klar waren und die sich trotzdem nicht für Jesus Christus entscheiden konnten. Ein anschauliches Beispiel dafür erlebte ich kürzlich in einer christlichen Begegnungsstätte an einer der größten Universitäten des Landes. Es zeigte so richtig, wie der Satan manchmal den menschlichen Geist umnebelt. Ein außergewöhnlich begabter junger Mann brachte mir gegenüber den Wunsch zum Ausdruck, mehr über Jesus Christus zu erfahren. Ich traf mich über mehrere Wochen hindurch mit ihm. Zum Schluß sagte er: »Ich glaube zwar, was Sie mir gesagt haben, aber mein Leben möchte ich Jesus nicht übergeben.«

Nach einigen Monaten traf ich ihn wieder, allerdings ganz verändert. Als ich mit ihm ins Gespräch kam, erzählte er mir: »Jetzt bin ich wirklich religiös. Sie können mir nur leid tun. Ich nehme jetzt regelmäßig Rauschgift und habe Gott wirklich gesehen. Aber dieser Gott ist der Fürst der Finsternis; ihn beten wir an.«

Das Rauschgift hatte den jungen Mann völlig von Gott abgebracht. Für christliche Wahrheiten ist er nicht mehr ansprechbar. Satan benutzt die halluzinatorische Wirkung der Drogen dazu, die Süchtigen immer mehr an sich zu ketten. Manchmal begegnet man Rauschgiftsüchtigen, die behaupten, den Teufel wirklich gesehen zu haben, und es ist anzunehmen, daß sie sich dabei nicht getäuscht haben.

Wir sind sicher, daß Drogen die Denk- und Willenskraft des Menschen so sehr schwächen, daß die Dämonen leichtes Spiel mit den Betreffenden haben und Besitz von ihnen ergreifen können. Die Dämonen stehen unter der Herrschaft Satans, und wir befinden uns durchaus auf biblischem Boden, wenn wir glauben, daß es auch heute noch viele Besessene gibt, nicht zuletzt unter den Rauschgiftsüchtigen.

Es gibt in unseren Tagen eine Reihe spiritistischer Gruppen, die offen Satanskult betreiben. Kürzlich las ich einen Zeitungsbericht unter der Überschrift »Moderne Hexen – Schwarze Kunst im neuen Geist«. Der Bericht befaßte sich mit dem Wiederaufleben der Schwarzen Magie in England und zeigte, wie ernst die Beteiligten die Sache nehmen. »Seit im Jahre 1951 das jahrhundertealte Gesetz gegen die Schwarze Kunst aufgehoben wurde, gibt es in England wieder Hexenmeister und Hexen, die sich zu regelrechten Vereinen zusammengeschlossen haben. Auch in Los Angeles und New York soll es ähnliche Hexenbünde geben.«

Eine moderne Hexe hat sich zu ihrem Treiben wie folgt geäußert: »Für uns ist das Religion. Wir verehren einen gehörnten Gott, den Fürsten der Finsternis, und deshalb sagen auch manche, wir seien Teufelsanbeter.«

In einer Fernsehsendung wurde kürzlich berichtet, daß schon die Schüler an höheren Schulen Amerikas reges Interesse an der Hexenkunst zeigen. Der Berichterstatter meinte, jede angesehene höhere Schule habe heutzutage ihre eigene Hexe. Dann zeigte das Bild ein sechzehnjähriges hübsches Mädchen, das mit starrem Blick leise Zaubersprüche vor sich hinmurmelte. Anschließend meinte ein Psychiater, die »Schwarze Kunst« fördere die Gesundheit, da man auf diese Weise seinen aggressiven Gefühlen auf harmlose Weise Luft machen könne.

Von der Zunahme des Interesses an der Astrologie war bereits im ersten Kapitel die Rede. Der Mensch sucht immer intensiver nach Erkenntnis und möchte sich auch der Zukunft vergewissern. Dazu bedient er sich nicht nur seines Verstandes, sondern auch aller Art pseudomystischer und okkulter Praktiken.

Wo ist die Kirche?

Im bisherigen Verlauf unserer Erörterungen haben wir uns mit den verschiedenen Formen religiöser menschlicher Äußerungen befaßt, von denen wir sicher sind, daß sie eine Wiederbelebung des »Geheimnisses Babylon» bedeuten. Eine Organisation hatten wir dabei noch nicht näher ins Auge gefaßt; von ihr behauptet die Bibel, daß sie eine wesentliche Rolle im religiösen Welteinheitssystem der Endzeit spielen wird. Wir meinen die sichtbare Kirche, die immer mehr dem Unglauben und Abfall Tür und Tor öffnet.

Die Abhandlung dieses Themas fällt uns nicht leicht, aber welchen gläubigen Christen, der es mit der biblischen Gemeinde ernst nimmt, befällt nicht ein Gefühl der Entmutigung angesichts der zweifelhaften Vorgänge in den verschiedenen Kirchengemeinschaften, die sich alle »christlich« nennen? Aber auch die Tatsache des weitverbreiteten und tiefgreifenden Abfalls in der Kirche wird uns in der biblischen Endzeitprophetie für die Zeit vor dem zweiten Kommen Christi eindeutig vorausgesagt; deshalb braucht der gläubige Christ den Mut nicht zu verlieren, denn hat nicht der Herr selbst seiner wahren Gemeinde verheißen, bis ans Ende bei ihr zu bleiben?

Oft hört man die Leute sagen, wenn sie sich über irgendeine Ungerechtigkeit in der Welt beklagen: »Warum unternimmt die Kirche eigentlich nichts?« Doch was bedeutet eigentlich »Kirche«? Die Antwort auf diese Frage ist von äußerster Wichtigkeit, wenn wir beurteilen wollen, ob und inwieweit eine kirchliche Gemeinschaft dem Auftrag Christi treu ist oder nicht.

Auch die abtrünnige Kirche ist eine sichtbare Gemeinschaft von Menschen, die sich Christen nennen. Sie ist in allen Denominationen anzutreffen, besitzt herrliche Kathedralen und moderne Kirchenbauten, mancherorts hat sie viele tausend Glieder, an anderen Orten besteht sie nur aus einem kleinen Grüppchen. Oft führt sie die »heiligsten« Namen. All dies ist leider keine Garantie dafür, daß sie die Wahrheit Gottes lehrt und verkündet.

Was aber unterscheidet nun konkret die echte Gemeinde Jesu von der abtrünnigen Kirche? Zur wahren Gemeinde gehören alle, die an Christus als ihren Erlöser glauben und mit ihm als dem Haupt des Leibes der Gemeinde verbunden sind. Das heißt, das Haupt der wahren Gemeinde ist Jesus Christus.

»Ferner ist er das Haupt des Leibes, nämlich der Gemeinde« (Kolosser 1, 18). »Denn wie der Leib eine Einheit ist und doch viele Glieder hat, alle Glieder des Leibes aber trotz ihrer Vielheit einen Leib bilden, so ist es auch mit Christus, denn durch einen Geist sind wir alle zu einem Leib zusammengeschlossen worden, wir mögen Juden oder Griechen, Sklaven oder Freie sein, und wir sind alle mit einem Geist getränkt worden« (1. Korinther 12, 12-13).

In der Praxis kann es so aussehen, daß eine organisierte Kirchengemeinschaft zu ihren Gliedern sowohl echte Gläubige zählt als auch solche, die in falscher Selbsteinschätzung meinen, an Christus zu glauben. Unter keinen Umständen dürfen wir den Fehler begehen zu sagen, daß jeder, der einer Kirche angehört, die sich weit von der biblischen Lehre entfernt hat, ein Ungläubiger sei. Ein echter Gläubiger kann von Irrlehre und Abfall umgeben sein, welcher Kirche oder Denomination er auch angehört. Gewöhnlich fühlt er sich unglücklich oder gar angewidert, wenn ihm bewußt wird, was auf der Amtsebene seiner Kirche vor sich geht.

Mancher denkt jetzt vielleicht, Irrlehre und Abfall in der Kirche habe es zu allen Zeiten gegeben. Das stimmt. Die Bibel behauptet aber, daß der Abfall in der Endzeit Formen annimmt wie nie zuvor.

»Es sind allerdings auch falsche Propheten unter dem Volk Israel aufgetreten, wie es auch unter euch falsche Lehrer geben wird, die verderbliche Irrlehren heimlich bei euch einführen werden, indem sie sogar den Herrn. der sie zu seinem Eigentum erkauft hat, verleugnen, wodurch sie jähes Verderben über sich bringen« (2. Petrus 2, 1).

Die Buhlerin

Die Welteinheitsreligion der Endzeit wird nicht gerade mit schmeichelhaften Ausdrücken belegt. Eine Hure oder Prostituierte ist eine Frau, die sich selbst preisgibt.

Sie bietet die ihr von Gott geschenkte Weiblichkeit feil. Ähnlich gibt sich eine Kirche preis, die behauptet, Gott anzugehören, in Wirklichkeit jedoch mit einem weltlichen religiösen System »buhlt« und wie eine Hure ihre eigentliche Bestimmung verfehlt.

Wie können wir nun den Abfall in der Kirche von heute erkennen? Welches sind die typischen Merkmale der Hure?

Petrus schreibt, daß am Ende der Tage »Spötter« auftreten werden, die fragen: »Wo ist denn seine verheißene Wiederkunft?« (2. Petrus 3, 4).

Johannes, Apostel der Liebe genannt, geht mit den falschen Lehrern, die Jesu leibliche Wiederkunft leugnen, streng ins Gericht. Er schreibt: »Denn viele Irrlehrer sind in die Welt ausgezogen, die Jesus Christus nicht als den im Fleisch gekommenen Christus anerkennen. Darin zeigt sich der Irrlehrer und Widerchrist« (2. Johannes 7).

Seien wir auf der Hut, wenn Kirchenmänner die leibliche und sichtbare Wiederkunft unseres Herrn in Frage stellen. In diesem Falle sind es falsche Lehrer.

Von der ersten bis zur letzten Seite lehrt die Bibel, daß der Mensch von Natur aus sündhaft ist. Weil das so manchen humanistischen Lehrern von heute zuwiderläuft, vermögen das manche heute nicht zu schlucken. Das ändert jedoch nichts an der Wahrheit der biblischen Lehre. »Wenn wir behaupten, ohne Sünde zu sein, so betrügen wir uns selbst, und die Wahrheit ist nicht in uns« (1. Johannes 1, 8).

Heutzutage gibt es viele, die in Jesus von Nazareth zwar einen großen Lehrer sehen, seine Gottheit jedoch leugnen. In dieser Tatsache haben wir eine weitere Form heutiger Irrlehre. Damit leugnet man nämlich Gott selbst, denn die göttliche Dreifaltigkeit gehört zu den Grundlagen des christlichen Glaubens. Johannes schreibt: »Jeder, der den Sohn leugnet, hat auch den Vater nicht« (1. Johannes 2, 23).

Wir sind oft Leuten begegnet, die gesagt haben: »Gut und schön, ich glaube auch an einen Gott, aber Sie wollen doch sicher nicht behaupten, daß *Jesus* Gott war, oder?« Und ob wir das behaupten! Die Bibel lehrt auch, daß Jesus von einer Jungfrau geboren wurde. Wer das leugnet, leugnet damit die Wunder Gottes und hat das Wunder der persönlichen Wiedergeburt, durch das er zu einem Kind Gottes wird, noch nicht erlebt.

Was geschieht heute in vielen unserer Kirchengemeinschaften? Eine der ersten breitangelegten Untersuchungen über das, was unsere zukünftigen Pfarrer und Prediger glauben, wurde im August 1961 in Amerika von der Zeitschrift »Redbook« gestartet. Die Herausgeber beauftragten eines der bekanntesten amerikanischen Meinungsforschungsinstitute mit einer entsprechenden Umfrage an den theologischen Fakultäten der USA. Hier bringen wir einige Ergebnisse. Man vergleiche sie genau mit den biblischen Aussagen über den endzeitlichen Abfall in der Kirche.

56 Prozent der Theologiestudenten leugneten die Jungfrauengeburt Jesu. 71 Prozent leugneten ein Weiterleben nach dem Tode, 54 Prozent leugneten die leibli-

che Auferstehung Jesu, 98 Prozent leugneten die persönliche Wiederkunft Jesu Christi auf diese Erde.

»Es sind allerdings auch falsche Propheten unter dem Volk [Israel] aufgetreten, wie es auch unter euch falsche Lehrer geben wird, welche verderbliche Irrlehren heimlich bei euch einführen werden« (2. Petrus 2, 1).

Verderbliche Irrlehren sind heutzutage zum Massenartikel geworden. In der Encyclopedia Britannica aus dem Jahre 1968 las ich in einem Artikel über »Religion«, daß zur Zeit in der amerikanischen Theologie ein bemerkenswerter Wandel festzustellen sei. Heute heiße es nicht mehr, Gott sei tot, sondern Männer, die sich seltsamerweise immer noch als »christliche Theologen« bezeichnen, behaupten, es gebe überhaupt keinen persönlichen Gott.

Die Zeitschrift »McCall's« brachte in ihrer Ausgabe vom Februar 1968 eine Übersicht über die Hauptdenominationen. Sie zeigte, daß eine beträchtliche Reihe von ihnen den Gedanken an einen persönlichen Gott zurückweisen. Hier stellt sich allen die Frage, mit welchem Recht man als Pfarrer oder Prediger auftreten kann, wenn man nicht an einen persönlichen Gott glaubt?

Obgleich dieser Trend in den vergangenen Jahren verstärkt in Erscheinung getreten ist, war er schon lange Zeit feststellbar. Die Kirche verliert heute immer mehr von ihrer Salzkraft, bis sie schließlich in der Welteinheitskirche der Endzeit aufgehen wird, der satanisch geprägten Ökumene.

Die ökumenische Manie

Als man vor Jahren zum erstenmal von der Ökumene hörte, klang einem der Begriff zuerst zwar etwas fremd, aber dennoch vielversprechend. Scheint es nicht vielversprechend, wenn sich alle Gutgesinnten in den verschiedenen Kirchen zusammentun, um vereint gegen das Böse in der Welt zu kämpfen? Die Idee erwies sich jedoch als Trugschluß. Es zeigte sich nämlich bald, daß man die grundlegenden Wahrheiten immer mehr verwässerte, veränderte oder ganz aufgab. Statt dessen gab es viele politische Verlautbarungen und kirchliches Geschwätz, das die im biblischen Sinne Glaubenden in Erstaunen setzte und die Ungläubigen nur abstieß. Der Trend des Nationalen Rates der Kirchen sowie des Weltrates der Kirchen geht hin zu einer Dachorganisation, die heute die verschiedensten Glaubensauffassungen beherbergt und ihre wahren Motive mit zur Schau getragener Toleranz tarnt. Man will weltoffen wirken und macht einen Kompromiß nach dem anderen mit dem Weltgeist.

Im Mai 1969 empfahl der Weltrat der Kirchen seinen verschiedenen Gliedkirchen, im Notfall auch Gewaltmaßnahmen als Mittel zur Befreiung von politischer und wirtschaftlicher Gewaltherrschaft zu unterstützen. Man empfahl den Kirchen auch zu bekennen, daß sie mit »heimtückischem, himmelschreiendem, aus der Vergangenheit herrührendem Rassismus« angefüllt seien.

Immer wieder kann man lesen, wie Kirchengemeinschaften von radikalen Gruppen unterwandert werden, die Geld für ihre revolutionären Zwecke sowie ein Mitspracherecht »fordern«. Die Kirchen verbünden sich mit Kräften, die allem entgegentreten, was als überliefertes wahres Christentum bekannt ist. Auch der »marxistisch-christliche Dialog« ist sehr beliebt, nicht, um die Atheisten und Kommunisten mit dem Evangelium bekannt zu machen; er wird in der Absicht geführt, »Wahrheiten« auszutauschen und eine gemeinsame Basis des Verstehens zu finden.

Wenn Guss Hall, einer der Hauptsprecher der Kommunisten in den USA, sagt, daß die gegenwärtigen »roten« Ziele für Amerika »fast identisch« seien mit denen der liberalen Kirchen, so ist es sicher an der Zeit (wenn nicht schon zu spät), daß man in der christlichen Gemeinde aufzuhorchen beginnt und endlich erkennt, was in der abtrünnigen Kirche vor sich geht.

In unseren Tagen zeigt sich in vielen amerikanischen Kirchengemeinschaften ein immer stärker werdender Trend zur Einheit. Dieser Trend, so behaupten manche, könne zu einer »Superkirche« führen, die eine ungeheure religiöse und politische Macht besäße (»U.S. News and World Report«, 20. Juli 1966).

Satan hat gar nicht die Absicht, zur Verfolgung seiner Ziele die Religion abzuschaffen, im Gegenteil, er wird sich ihrer bedienen. Religion kann den Menschen für Gott blind machen.

Wohin führt der Abfall?

Jesus beruft seine Jünger, die wahren Christen, das Salz der Erde zu sein. Ist dieses wirksame Konservierungsmittel nicht mehr vorhanden, kann der Verfallsprozeß in der Welt nicht mehr aufgehalten werden. Wo falsche Lehre in den Vordergrund tritt, sinken die moralischen Maßstäbe immer weiter ab; es ist kein Salz mehr vorhanden.

Was sagt die Bibel über die Zeit vor der Wiederkunft Christi? »Das sollst du aber wissen, daß in den letzten Tagen schlimme Zeiten eintreten werden; denn dann werden die Menschen selbstsüchtig und geldgierig sein, prahlerisch und hochmütig, schmähsüchtig, den Eltern ungehorsam, undankbar, gottlos, ohne Liebe und Treue, verleumderisch, unmäßig, zügellos, allem Guten feind, verräterisch, leichtfertig und dünkelhaft, mehr dem Genuß als der Liebe zu Gott ergeben« (2. Timotheus 3, 1-4).

Das ist eine harte Anklage gegen unsre Zeit! Im weiteren spricht Paulus davon, die Gelehrsamkeit werde weiter wachsen, der Mensch aber doch nicht zur »Erkenntnis der Wahrheit« gelangen.

Die Technik allein ist in den letzten Jahren so sehr fortgeschritten, daß es unseren Großeltern bei vielen Dingen schwindeln würde, die wir bereits für selbstverständlich ansehen. Aber aller äußere Fortschritt hat den Menschen im Innern unzufrieden gelassen. Die Grundbedürfnisse des Menschen wie Liebe, Sicherheit, wahres Glück befinden sich immer noch weit außerhalb seiner Reichweite. Man scheint von der Erreichung dieser Ziele weiter entfernt zu sein als je zuvor.

Paulus spricht davon, daß man zwar nach außen hin eine fromme Fassade wahren, im praktischen Leben der Glaube jedoch keine Rolle mehr spielen werde. Wenn wir so manche unserer kirchlichen Veröffentlichungen durchblättern, erkennen wir, was Paulus hier gemeint hat. Für diese Leute ist Gott keine lebendige, durch Jesus offenbarte Wirklichkeit mehr, sondern eine »Sache«, der »Seinsgrund«, eine »Stimme von irgendwoher«. Wenn sich manche Kirchen kaum noch von einem Nachtclub, einer Schule, einer geselligen Veranstaltung, einer politischen Versammlung oder einer philanthropischen Interessengemeinschaft unterscheiden, dann besitzen sie kein Salz mehr. Sie unterscheiden sich in nichts mehr von irgendeinem weltlichen Verein.

Macht ohne Salz

Die Kirche der Trübsalszeit, das heißt während der sieben Jahre vor der Wiederkunft Christi, wird zwar gottlos sein, aber große Macht besitzen.

Offenbarung 17 spricht davon, daß sie das »Tier«, den

großen Weltdiktator, den Führer des Zehnstaatenbundes, eine Zeitlang beherrschen wird. Es scheint, daß die Furcht vor dem Kommunismus und die Notwendigkeit einer gemeinsamen Verteidigungsfront gegenüber dem »König des Nordens« das politische Welteinheitssystem mit der »Buhlerin«, dem religiösen System, verbünden wird. Die Buhlerin ist »in Purpur und Scharlach gekleidet, mit Gold, Edelsteinen und Perlen reich geschmückt . . .« (Offenbarung 17, 4). Mit anderen Worten, die Endzeitkirche wird eine glänzende Fassade zur Schau tragen, aber im Innern bis ins Mark verderbt sein.

Die Buhlerin von Offenbarung 17 bedeutet nicht nur eine Kirche, sondern auch eine Stadt. Es ist keine Frage, welche Stadt hier gemeint ist. Es heißt nämlich, daß die Buhlerin auf sieben Hügeln sitzt. Als Siebenhügelstadt galt aber von alters her Rom. Dies wird jeder bestätigen, der auch nur bescheidene Geographie- und Geschichtskenntnisse besitzt. Von Rom aus wird das religiöse System herrschen.

Die Bibel spricht aber auch von dem Ende des religiösen Systems. Der Diktator wird das religiöse System zu hassen beginnen, weil er von ihm als Marionette benutzt wird und es seinen Plänen, sich selbst als Gott zu proklamieren, im Wege steht.

Offenbarung 18, 2 zeigt, daß die Vernichtung des religiösen Systems in zwei Phasen vor sich gehen wird. »Gefallen, gefallen ist Babylon, die Große.« Das erste »gefallen« bezieht sich auf die Vernichtung des religiösen Systems durch den Diktator. Dies wird in der Mitte der Trübsalszeit, also nach dreieinhalb Jahren, geschehen. Das zweite »gefallen« bezieht sich auf den plötzlichen Untergang der Stadt Rom.

Wenn wir Aktionen der Kirche, ihre Führer oder ihre Lehre, in der sich oft krasser Unglaube ausdrückt, kritisieren oder gar verurteilen, gleichen wir einem Seiltänzer auf dem Seil. Wir werden beschuldigt, antikirchlich, engstirnig oder dogmatisch zu sein.

Wir tun jedoch nichts anderes, als das Wort Gottes so zu verkündigen, wie es uns in der Heiligen Schrift dargeboten wird, ohne Unbequemes zu verwässern oder zu ignorieren. Dabei wollen wir klar herausstellen, daß wir dennoch Menschen, die innerhalb solcher Systeme leben, welche nicht auf Christus gegründet sind, in Liebe begegnen. Wir versuchen, ihnen den Weg zu Jesus Christus zu zeigen. Diese Haltung mag für einen Nichtchristen schwer verständlich sein. Manchmal verstehen uns selbst Christen nicht. Es ist wider die menschliche Natur, einen Unterschied zwischen dem Menschen und seinem Glauben zu machen. Wir können das nur mit Gottes Hilfe. Nur in seinem Erbarmen und seiner Liebe vermögen wir dem uns an sich Widerwärtigen und Unliebsamen zu begegnen. Der Herr schenke uns diese Gnade!

Ein einziger kleiner Schritt für einen Menschen, ein riesiger Sprung für die Menschheit.
Neil Armstrong, Kommandant des Raumschiffes Apollo 11, am 20. Juli 1969

KAPITEL 11

DIE LETZTE REISE

Die Welt hielt den Atem an. Man war zwar schon durch die Science-Fiction-Literatur auf die Erforschung des Mondes vorbereitet; als es dann aber mit der ersten Mondlandung ernst wurde, stieg die Spannung doch auf den Siedepunkt.

An jenem Sonntag, der in die Geschichte eingehen wird, saßen in aller Welt die Menschen vor den Fernsehschirmen und weinten vor Freude, als die beiden Astronauten Armstrong und Aldrin die ersten unsicheren Schritte auf dem Mond machten. Es war geschafft: Die ersten Menschen hatten dem guten alten Mond einen Besuch abgestattet.

Wir wollen uns hier aber nicht weiter mit der Mondreise der Apollobesatzung beschäftigen, sondern mit einer Reise, die eines Tages viele Männer, Frauen und Kinder unseres Planeten antreten werden. Dann wird die Welt ebenfalls für eine Weile den Atem anhalten. Die auf der Erde Zurückbleibenden werden ihre ganze Spitzfindigkeit nötig haben, um das plötzliche Verschwinden von vielen Millionen von Menschen zu erklären.

»Als ich gerade auf der Autobahn fuhr, geriet ich plötzlich in einen wahren Hexenkessel. Unvermittelt begannen viele Autos ziellos hin und her zu fahren, sie waren alle führerlos. Es gab wirklich ein heilloses Durcheinander. Ich dachte sofort an eine Invasion aus dem Weltraum, wie man sie oft im Fernsehen sieht.«

»Es war in der zweiten Halbzeit des Fußballmeisterschaftsspiels. Die andere Seite lag leicht in Führung. Da bekamen unsere Jungs eine Chance. Unser Mittelstürmer kam an den Ball, stürmte nach vorn, das feindliche Tor war ungedeckt. Das mußte der Ausgleich werden, aber plötzlich war unser Mittelstürmer nicht mehr da, einfach verschwunden.«

»Es war erstaunlich, wirklich ungewöhnlich. Ich hatte gerade mit dem Religionsunterricht begonnen. Wir sprachen über das ›mythische Weltbild‹ der Bibel. Plötzlich waren drei meiner Schüler nicht mehr da, sie waren spurlos verschwunden. Es waren immer recht streitsüchtige Burschen gewesen, die ihren veralteten Standpunkt stets aus der Bibel zu beweisen suchten. Es war wirklich kein großer Verlust für die Klasse. Aber wie läßt sich bloß ihr Verschwinden erklären?«

»Als offizieller Sprecher der Vereinten Nationen möchte ich alle friedliebenden Menschen davon in Kenntnis setzen, daß wir alles in unseren Kräften Stehende tun wollen, um jenen Staaten zu helfen, deren Führungsspitzen plötzlich nicht mehr aufzufinden sind. Die Generalversammlung hat eine Erklärung verabschiedet, in der das Verhalten dieser Staatsoberhäupter aufs schärfste verurteilt wird. Ihre Verantwortungslosigkeit ist schockierend!«

»Meine lieben Freunde! Ich begrüße Sie alle recht

herzlich zu diesem Gottesdienst. Ich weiß, daß viele von Ihnen bei dem seltsamen Verschwinden so vieler Menschen liebe Angehörige verloren haben, bin jedoch davon überzeugt, daß das rätselhafte Geschehen ein Gericht Gottes war. Haben sich diese Leute nicht stets aufgelehnt, wenn es darum ging, Veraltetes in der Kirche aufzugeben und sich dem modernen Fortschritt unseres Jahrhunderts zu öffnen? Jetzt, da diese reaktionären Kräfte nicht mehr unter uns sind, werden wir unser herrliches Ziel, die Verbrüderung aller Menschen, sehr bald erreicht haben!«

»Wollen Sie wirklich meine Meinung hören? Ich glaube, all das Gerede über eine bevorstehende Entrückkung war doch nicht nur so eine verrückte Marotte. Ich weiß ja nicht, wie Sie dazu stehen, aber ich werde mir unsere Bibel vornehmen und einmal in aller Ruhe die Stelle lesen, die meine Frau angestrichen hat. Als sie noch hier war, wollte ich nicht auf sie hören, und jetzt ist sie – Wenn ich nur wüßte, wo sie ist!«

Die Entrückung – was ist das?

An einem Tag, den nur Gott kennt, wird Jesus wiederkommen und alle wahrhaft an ihn Glaubenden zu sich nehmen. Die Gläubigen werden ihm in die Luft entgegengerückt werden. Ohne Zutun der Wissenschaft, ohne Raumanzüge und interplanetarische Raketen werden viele Millionen Menschen an einen herrlichen Ort gebracht, der so schön ist, daß kein Mensch sich davon eine Vorstellung machen kann. Die Erde mit all ihrer Schönheit und ihren Freuden wird dagegen verblassen. Das ist die letzte Reise.

Wer jetzt den Kopf zu schütteln beginnt, der denke einmal, wie oft er in seinem Leben etwas für unmöglich hielt, was hinterher doch eintraf. Wie oft im Laufe der Zeiten hatten die Menschen für die Offenbarungen Gottes nur das Wort »unmöglich«. Und doch waren sie möglich, denn bei Gott ist kein Ding unmöglich.

Wir haben schon über die Weltereignisse gesprochen, die laut der Voraussage der biblischen Propheten der siebenjährigen Trübsalszeit vorangehen, an deren Ende Jesus Christus persönlich auf dieser Erde erscheinen wird. Die große Frage ist nur, ob Sie, lieber Leser, diese Trübsalszeit auf der Erde erleben müssen, wenn der Antichrist und der falsche Prophet ihr Schreckensregiment ausüben? Werden Sie hier unten sein, wenn die Menschheit ihrer dunkelsten Stunde entgegengeht?

Die Entscheidung liegt allein bei Ihnen persönlich. Die Schrift läßt uns wissen, daß es eine Generation von Gläubigen geben wird, die den leiblichen Tod nicht erleiden muß, sondern vor der Trübsalszeit, vor der Zeit der schrecklichsten Seuchen, des Blutvergießens und der Hungersnöte, die die Welt je erlebt hat, von der Erde entrückt wird.

Prüfen wir einmal die Prophezeiungen, die von diesem geheimnisvollen Vorgang sprechen. Hier nämlich liegt eine große Hoffnung für den Christen, sein »seliges Hoffnungsgut« (Titus 2, 13-15).

In Anbetracht der gegenwärtigen Weltentwicklung müssen wir zu dem Schluß kommen, daß sich diese Hoffnung vielleicht schon bald erfüllen wird. Deshalb sind wir auch im Hinblick auf die Zukunft optimistisch. Trotz der düsteren Schlagzeilen in den Zeitungen, trotz der schwelenden Weltkrisen, trotz der kommenden dunklen Tage.

Vielleicht sagt jetzt mancher Leser: »Ich möchte aus dem Spiel gelassen werden. Mir gefällt es hier auf der Erde ganz gut, und ich habe noch eine Menge Pläne für die Zukunft!«

Genau davon reden wir, von Ihren Zukunftsplänen. Christus meinte auch Ihre Zukunft, als er zu seinen Jüngern sagte: »Euer Herz erschrecke nicht! Vertrauet auf Gott und vertrauet auf mich! In meines Vaters Hause sind viele Wohnungen; wenn es nicht so wäre, hätte ich es euch gesagt; denn ich gehe hin, euch eine Stätte zu bereiten; und wenn ich hingegangen bin und euch eine Stätte bereitet habe, komme ich wieder und werde euch zu mir nehmen, damit da, wo ich bin, auch ihr seid« (Johannes 14, 1-3).

Alle Schriftstellen bezeugen, daß der Ort, den Christus für uns bereitet, unbeschreiblich schön sein wird. Das ewige Leben wird alle Freuden übersteigen, die wir hier auf Erden gekannt haben.

Ich sage euch ein Geheimnis

Unter »Entrückung« verstehen wir also die Hinwegnahme der Gemeinde Christi von der Erde. Dazu gehören alle, die an Jesus Christus als ihren Herrn und Heiland glauben. Die Gemeinde wird Jesus entgegengerückt werden in die Luft.

In 1. Korinther 15, 50 lesen wir Wichtiges über dieses Ereignis. Es heißt dort, daß wir das Reich Gottes in unserem irdischen Leib aus Fleisch und Blut nicht erben können.

Diese Aussage trifft jedoch nicht für alle Menschen zu; wie wir den Evangelien und dem Alten Testament entnehmen können, wird es eine bestimmte Gruppe von Menschen geben, die im sterblichen Leib in das Reich Gottes eingehen. Hierbei handelt es sich aber um das irdische Tausendjährige Reich, das Christus nach seinem zweiten Kommen auf Erden errichten wird. Diese beiden Aussagen der Bibel widersprechen sich also nicht. Es ist

163

von zwei verschiedenen Ereignissen die Rede. Die Unterscheidung zwischen dem Handeln Gottes mit seiner Gemeinde, die an der Entrückung teilnehmen wird, und seinen Absichten mit der Gruppe von Gläubigen, die sich in der Trübsalszeit vor allem um Israel sammelt, ist äußerst wichtig.

In Offenbarung 20 und Matthäus 25 wird geschildert, wie Jesus bei seinem zweiten Kommen auf die Erde die Gläubigen von den Ungläubigen, »die Schafe von den Böcken«, trennt. Die Hoffnung der christlichen Gemeinde ist also eine andere als diejenige Israels. Das wird klar, wenn wir zwischen dem zweiten Kommen Christi und der Entrückung klar zu unterscheiden wissen.

Es heißt, daß wir nur mit einem verwandelten Leib in das Reich Gottes gelangen können, und dann folgt ein faszinierender Vers: »Seht, ich sage euch ein Geheimnis: Wir werden nicht alle entschlafen, wohl aber werden wir alle verwandelt werden.«

Im Griechischen bedeutet das Wort Mysterion (Geheimnis) etwas, das bisher nicht enthüllt worden ist, nun aber den Eingeweihten offenbart wird. In den griechischen religiösen Bruderschaften, wie sie damals vielerorts bestanden, gab es gewisse Geheimnisse, das heißt Mysterien, die dem Eingeweihten erst nach seiner Aufnahme mitgeteilt wurden.

Ähnlich wird jeder an Christus Glaubende in die Bruderschaft Christi aufgenommen. Dann und nur dann kann er Einblick nehmen in manche der Mysterien Gottes. Für die übrige Welt bleiben sie unverständlich.

Paulus schreibt: Wir werden nicht alle entschlafen, das heißt sterben. Welche Bedeutung hat überhaupt der Tod für den Christen? Was geschieht mit der Seele, mit dem Ich? Manche sind der Ansicht, die Seele wandere nach dem Tode in eine Art Vorhölle oder Gefängnis. Das

Neue Testament kennt eine solche Lehre nicht. Dort steht vielmehr geschrieben, daß die Seele des an Christus Glaubenden in dem Augenblick, da er den letzten Atemzug getan hat und der leibliche Tod eintritt, sofort zu Christus gelangt (2. Korinther 5, 1-10; Philipper 1, 21-23).

Was geschieht mit dem Leib? Der irdische Leib zerfällt und wird bei der Auferstehung von Christus in einen unverweslichen Leib verwandelt. »Unser Bürgertum ist im Himmel, von wo wir auch den Herrn Jesus Christus als Retter erwarten, der unseren niedrigen Leib umwandeln wird zur gleichen Gestalt mit seinem Herrlichkeitsleibe vermöge der Kraft, mit der er auch alle Dinge sich zu unterwerfen vermag« (Philipper 3, 20-21).

Worin besteht nun das Geheimnis? Es hat mit den Gläubigen zu tun, die bei der Entrückung noch am Leben sind. »Im Nu, in einem Augenblick, beim letzten Posaunenstoß; denn die Posaune wird erschallen, und sofort werden die Toten in Unverweslichkeit auferweckt werden, und wir werden verwandelt werden« (1. Korinther 15, 52).

Worte sind etwas Faszinierendes. Sie bilden die Grundlage des Verstehens. Das Wort des Urtextes, das in unseren Übersetzungen mit »Augenblick« wiedergegeben ist, heißt »atomos«. Von ihm leitet sich unser Wort Atom ab. Im Griechischen bedeutet es »das Unteilbare«. Mit anderen Worten also: Die Verwandlung wird so schnell geschehen, daß die Zeitspanne, in der sich alles abspielt, unteilbar klein sein wird. Das Ereignis wird beim Schall der letzten Posaune eintreten. Hier ist auf etwas Bezug genommen, was den Juden vom Alten Bund her wohlbekannt war. Beim Auszug der Israeliten aus Ägypten wurde jeden Morgen, bevor der Zug aufbrach, siebenmal die Posaune geblasen. Jeder Posaunenstoß hatte eine bestimmte Bedeutung. Beim ersten Posaunenschall wurde zum Aufbruch gerüstet; beim zweiten wurden die Zelte abgeschlagen usw.; beim Stoß der siebten und letzten Posaune setzte sich dann der Zug in Bewegung.

Für unsere Bibelstelle bedeutet das: Wenn Gott die letzte Posaune blasen läßt, heißt das für die Christen Aufbruch. Sie werden verwandelt werden.

Was steckt in dem Wort »verwandelt«? Verwandelt werden heißt, im Sein umgestaltet werden, ohne in der äußeren Erscheinung eine entscheidende Veränderung zu erfahren. Das unterstreicht das, was in der Bibel an anderer Stelle ausgesagt wird, daß wir nämlich in der Ewigkeit diejenigen, die wir hier gekannt haben, wiedererkennen werden. Sollten Sie hier auf Erden mit Ihrem Leib nicht zufrieden sein, weil Sie vielleicht von Krankheit geplagt werden oder Ihr Leib sonst einen Fehler hat, so trösten Sie sich. Sie werden einen herrlichen Verklärungsleib erhalten, der Ihrem jetzigen zwar insofern gleichen wird, daß man Sie wiedererkennen kann. Er wird jedoch vollkommen und ohne Fehler sein.

Sie werden weder Nahrung noch Schlaf brauchen, und Ihr Leib wird nicht mehr dem Alter, dem Schmerz und dem Verfall unterworfen sein.

Wenn es in der Schrift heißt: »Die Toten werden in Unvergänglichkeit auferweckt, denn dieser vergängliche Leib muß die Unvergänglichkeit anziehen«, so bezieht sich das auf diejenigen Christen, die zum Zeitpunkt der Entrückung bereits gestorben sind. Sie werden auferweckt und zu Christus entrückt.

Wenn es dagegen heißt: »Dieser sterbliche Leib muß die Unsterblichkeit anziehen«, sind die bei der Entrückung noch Lebenden gemeint. Das ist das Geheimnis der Entrückung, die Hoffnung aller Christen.

Die Gemeinde zu Thessalonich machte sich anscheinend um etwas Sorge, das auch Sie betreffen könnte. Würden die »Toten in Christus«, denen der Herr bei der Entrük-kung den Auferstehungsleib geben wird, in gleicher Weise am Reich Gottes teilhaben wie diejenigen, die zu diesem Zeitpunkt noch am Leben sein und nur »verwan-delt« werden? Sie wollten doch ihre verstorbenen Ange-hörigen in der Ewigkeit wiedersehen.

Paulus versichert ihnen, daß Gottes Vorsorge voll-kommen ist. Die »Toten in Christus«, das heißt die ver-storbenen Christen, werden zuerst auferweckt und den Auferstehungsleib erhalten. Dann werden diejenigen, die zu jenem Zeitpunkt auf der Erde leben, »verwan-delt«, so daß sie nicht durch den Tod zu gehen brauchen. Schließlich werden alle zugleich hingerückt in den Wol-ken dem Herrn entgegen in der Luft (1. Thessalonicher 4, 13-18). Was wird das für ein herrliches Wiedersehen geben! Die Welt wird nicht wissen, was geschehen ist, denn alles vollzieht sich in einem »unteilbaren« Augen-blick.

Ein anderes Geheimnis

Manchmal ergehen sich die Christen in theologischen Debatten darüber, ob sich die Entrückung zur gleichen Zeit ereignen wird wie das zweite Kommen Christi, oder ob sie vor dem zweiten Kommen oder gar schon vor der Trübsalszeit geschehen wird.

Wir wollen deshalb unseren Standpunkt in dieser Frage klarmachen. Wir glauben nämlich, daß die Bibel zwischen dem zweiten Kommen Christi und der Entrük-kung der Gemeinde einen Unterschied macht und daß diese beiden Ereignisse nicht zusammenfallen.

Zuerst einmal besteht ein großer Unterschied zwischen der Bestimmung Israels und der Bestimmung der Gemeinde. Seit dem Kommen des Heiligen Geistes am ersten Pfingsttag befinden wir uns im biblischen Zeitalter der Gemeinde, die sich aus Juden und Heiden zusammensetzt. Während dieses Zeitraums liegt auf den Schultern der Gemeinde Verantwortung für die Weltevangelisation.

Zur Zeit des Alten Bundes war dies die Aufgabe der Israeliten, die allerdings dieser Verpflichtung nur selten und unvollkommen nachkamen. Darin liegt ein großes Versagen des Gottesvolkes des Alten Bundes. Nach der Entrückung der Gemeinde wird sich Gottes Heilshandeln wieder in besonderer Weise den Juden zuwenden. Wie wir aus der Offenbarung wissen, wird in der Trübsalszeit die Verkündigung des Evangeliums wieder vorrangig den Juden zufallen (Offenbarung 7, 1-4).

Ein zweiter Grund, warum wir meinen, daß Entrückung und das zweite Kommen Christi nicht zusammenfallen, liegt darin, daß es von dem zweiten Kommen des Herrn heißt, es werde auf der ganzen Welt sichtbar sein (Offenbarung 1, 7). Bei der Entrückung dagegen wird sich Jesus nur den Seinen sichtbar offenbaren. Es ist ein Geheimnis, ein Mysterium. Die Welt wird nicht wissen, was wirklich geschehen ist.

Außerdem wird sich beim zweiten Kommen Christi die Welt mitten in einem weltumfassenden Krieg befinden. Jeder wird wissen, daß dies der von den Propheten vorausgesagte apokalyptische Krieg ist. Daran wird kein Zweifel bestehen. Von der Zeit der Entrückung wird uns nichts dergleichen berichtet. Sie wird nicht notwendigerweise mit einer Kriegszeit zusammenfallen.

Noch ein weiterer Grund: Bei seinem zweiten Kommen wird Christus laut Matthäus 25 die Schafe von den Böcken, also die Gläubigen von den Ungläubigen trennen. Würde nun die Entrückung mit dem zweiten Kommen Christi zusammenfallen, wie könnten da auf Erden Gläubige von Ungläubigen getrennt werden, da doch die Gläubigen bei der Entrückung von der Erde weggenommen werden? Und hier nun der Hauptgrund, warum wir glauben, daß die Entrückung vor der Trübsalszeit stattfinden wird. Die Propheten haben verkündet, daß Gott auf Erden ein Reich errichten wird, das vom Messias regiert werden soll. In diesem Reich wird es also sterbliche Menschen geben. Fände die Entrückung zur gleichen Zeit statt wie das zweite Kommen Christi, gäbe es keine lebenden Gläubigen mehr auf Erden. Niemand käme in das tausendjährige irdische Reich hinein.

Wir müssen verstehen, daß während der siebenjährigen Trübsalszeit viele den Glauben annehmen werden. Trotz der im letzten Kapitel beschriebenen Verfolgung werden sie die schreckliche Zeit überleben und mit Christus tausend Jahre lang herrschen.

Die entrückte Gemeinde

Am ausführlichsten wird das Thema der Trübsalszeit in den Kapiteln 6 bis 19 der Offenbarung behandelt. Man beachte, daß in den ersten fünf Kapiteln die Gemeinde dreißigmal genannt wird. Im 2. und 3. Kapitel schreibt Johannes am Ende eines jeden Briefes an die einzelnen Gemeinden: »Wer ein Ohr hat, der höre, was der Geist den Gemeinden sagt.« Diesen Satz wiederholt er siebenmal. Dann wird der Beginn der Trübsalszeit beschrieben, und mit einemmal hören wir von der Gemeinde nichts mehr. Die Gemeinde ist nicht mehr da, eben weil sie sich zu jener Zeit bereits beim Herrn befindet.

Die Kapitel 4 und 5 beschreiben, was die Gläubigen im Himmel erwartet. Man spricht heute viel von bewußtseinserweiternden Drogen. Der Gläubige wird beim Herrn zu Erkenntnissen gelangen, die weit über alles hinausgehen, was mit irdischen Mitteln erkannt werden kann!

Seien wir wachsam!

Wann wird die Entrückung stattfinden? Wir wissen es nicht. Keiner weiß es, nur Gott allein. Eines wissen wir jedoch: Die Zeichen der Zeit rufen zur Wachsamkeit auf. Fern kann die Zeit der Wiederkunft Jesu nicht mehr sein. »Ihr aber, liebe Brüder, lebt nicht in Finsternis, daß der Tag des Herrn euch wie ein Dieb überraschen könnte« (1. Thessalonicher 5, 4).

Mit anderen Worten: Kein Christ sollte überrascht sein, wenn sein Herr plötzlich kommt. Leider sind nicht alle Gläubigen auf das Kommen des Herrn vorbereitet. Vielleicht müssen wir dann zu dem einen oder anderen hingehen und sagen: »Freund, habe ich es dir nicht gesagt?« Für manchen wird das Ereignis eine Überraschung bedeuten, weil er das prophetische Wort nicht liest. Was hat er auf Erden nicht alles versäumt! Jeder wache Christ sollte eigentlich um ein immer tieferes Verständnis der biblischen Prophetie ringen.

»Wir haben mit der Nacht und der Finsternis nichts zu schaffen« (1. Thessalonicher 5, 5). In der Finsternis befinden sich diejenigen, die Christus nicht kennen und diese Dinge deshalb nicht verstehen können.

Für alle, die nicht mit Christus rechnen und nicht an ihn glauben, muß dieses Kapitel wie reine Phantasie klingen. »Laßt uns also nicht schlafen wie die andern, sondern wachsam und nüchtern sein« (1. Thessalonicher 5, 6). Ein Schlafender weiß nicht, was um ihn herum vorgeht. Ähnlich ist es mit einem Menschen, der sich außer um sein persönliches Wohlergehen um nichts in der Welt kümmert. Er denkt: »Irgendwie wird schon alles seinen Lauf nehmen. Die Wissenschaft wird das schon machen.« Er vertraut der Wissenschaft grenzenlos.

Wenn Sie wissen, was die Propheten vorausgesagt haben und der Geist Gottes zu Ihnen geredet hat, dann sollten Sie wachsam sein. Christus kann jederzeit erscheinen und seine Gemeinde entrücken. Irgendwelche Vorbedingungen, die sich zuvor erfüllen müßten, gibt es heute nicht mehr.

Was ist wichtig?

Ist es Ihnen nicht auch schon so ergangen, daß Sie beim Durchstöbern alten Gerümpels auf irgendein Spielzeug aus vergangenen Kindertagen gestoßen sind, etwa eine ausrangierte elektrische Eisenbahn oder eine alte Puppe? Dann wurde die Erinnerung an die Kinderzeit wieder wach, und Sie dachten daran, wie ungeheuer wichtig Ihnen diese Dinge einst waren. Ähnlich wird es uns ergehen, wenn wir einmal Christus von Angesicht zu Angesicht begegnen werden. Wir werden auf unser Leben zurückschauen und erkennen, daß alles, was wir in unserem Erdenleben für so wichtig hielten, den abgelegten Spielsachen unserer Kindheit gleicht.

Wie herrlich ist das Christenleben! Es ist voller Optimismus und Erwartung. Wir wollen stets in dem Bewußtsein leben, daß wir hier auf Erden nur Gäste sind, ohne dauernde Bleibe, so als erwarteten wir den Herrn täglich.

Die Wissenschaft bietet keinen wirksamen Schutz gegen die tödlichen Waffen, die heute unserer Zivilisation ein Ende machen können. Albert Einstein

Im nächsten Krieg kann sich niemand darauf verlassen, daß genug Überlebende da sein werden, um unsere Toten zu begraben. J. Robert Oppenheimer

Die Menschheit muß dem Krieg ein Ende machen – oder der Krieg wird der Menschheit ein Ende machen John F. Kennedy, 1961

Ihr werdet von Kriegen und Kriegsgerüchten hören . . . alsdann wird eine schlimme Drangsalszeit eintreten, wie keine seit Anfang der Welt bis jetzt dagewesen ist, und wie auch keine wieder kommen wird. Und wenn jene Tage nicht verkürzt würden, so würde kein Mensch gerettet werden. Jesus Christus, 33 n. Chr.

KAPITEL 12

DER DRITTE WELTKRIEG

Vom Beginn seiner Geschichte an hat der Mensch den Frieden gesucht. Dennoch war der Krieg sein Haupterbteil. Bis heute schlugen alle Bemühungen um einen dauerhaften Frieden fehl. Schon der Prophet Jeremia schreibt: »Friede, Friede, wo doch kein Friede ist« (Jeremia 6, 14). Die wirklich berühmten Männer unserer Tage warnen uns vor dem Irrsinn eines neuen Weltkriegs.

Viele Experten sind jedoch der Ansicht, daß er unausweichlich sei. Ob wir mit ihren Theorien und Schlüssen einiggehen oder nicht, keinesfalls sollten wir ihre Worte unbeachtet lassen. Vor einigen Jahren verfaßte eine Reihe von Nobelpreisträgern aus verschiedenen Ländern eine Denkschrift, die sie den Staatschefs der Weltmächte übermittelten. Sie warnten: »Wir möchten Ihnen das Problem in seiner ganzen Schrecklichkeit und Unausweichlichkeit vor Augen stellen: Werden wir der menschlichen Rasse ein Ende bereiten, oder wird die Menschheit endgültig auf den Krieg verzichten? Als Menschen richten wir einen Appell an Menschen. Denken Sie daran, daß Sie Menschen sind und vergessen alles andere. Gelingt Ihnen das, so steht der Weg zu einem neuen Paradies offen, wenn nicht, beschwören Sie das Risiko weltweiten Todes.«

Viele Wissenschaftler, die maßgeblich zur Entwicklung der H-Bombe beigetragen hatten, waren Mitunterzeichner des Dokumentes.

In unserem Jahrhundert haben die Kriege in erschreckendem Maße an Häufigkeit und Intensität zugenommen. Sie hielten Schritt mit der immer rascheren Entwicklung auf allen Gebieten der Technik. Die andauernden Krisen und Konflikte haben viele von uns gleichgültig werden lassen. Dennoch sollte uns die Statistik über die Kriege seit 1945 alarmieren.

»Seit dem Zweiten Weltkrieg wurden in der Welt 12 begrenzte Kriege, 39 politische Morde, 48 Revolten, 74 Aufstände zur Erlangung der Unabhängigkeit, 162 soziale Revolutionen registriert« (»U.S. News and World Report« vom 25. Dezember 1967).

Seit dieser Zeit haben wir eine Reihe von weiteren politischen Morden und Revolten erleben müssen.

Alle Redekunst, alle Bücher und Veröffentlichungen

berühmter Wissenschaftler und Politiker haben nicht vermocht, die Kriege einzudämmen. Die Möglichkeit eines neuen Weltkriegs hängt immer noch drohend wie ein Damoklesschwert über unseren Häuptern. Jeder der zur Zeit noch begrenzten Konflikte wie beispielsweise der Nahostkonflikt könnte sich jederzeit durch einen Funken zu einem Weltbrand ausweiten.

Warum spielt der Mensch trotz der furchtbaren Erfahrung aus der Geschichte und der schrecklichen Voraussagen über einen kommenden Dritten Weltkrieg stets wieder von neuem mit dem Feuer? Aus den Worten Jesu über den letzten aller Kriege können wir schließen, daß die Menschheit weder aus der Vergangenheit gelernt hat noch die Zukunftswarnungen ernstnehmen wird. Erst Jesu persönliche Wiederkunft auf der Höhe des Konfliktes wird eine Menschheitsvernichtung verhindern.

Jesus sagt: »Wenn jene Tage nicht verkürzt würden, würde kein Mensch gerettet werden« (Matthäus 24, 22).

Warum kann der Mensch ohne Krieg nicht leben?

Ehe wir die Vorbereitungen der Menschheit auf den letzten großen Weltkrieg, den die Bibel »die Schlacht von Harmagedon« nennt, hier weiter verfolgen, wollen wir auf die Frage in unserer Überschrift eine Antwort suchen.

Der Mensch kann vom Krieg nicht ablassen, weil er die allen Kriegen zugrunde liegende Ursache nicht erkennt noch sie aus der Welt schaffen möchte. In der Bibel lesen wir: »Woher kommen die Kriege, woher die Streitigkeiten bei euch? Doch wohl daher, daß eure Lüste einen Kampf in euren Gliedern führen. Ihr seid begehrlich – und gelangt doch nicht zu Besitz; ihr mordet und seid

174

neidisch, ohne doch eure Wünsche erfüllt zu sehen« (Jakobus 4, 1-2).

Der Mensch besitzt eine selbstsüchtige Natur. Darin liegt die Ursache der Sünde. Sünde ist im Grunde das egoistische Suchen und Streben, das Verfolgen des eigenen Weges, ohne sich um Gott zu kümmern. Aufgrund der uns angeborenen selbstsüchtigen Natur können wir weder mit uns selbst noch mit unseren Mitmenschen zu dauerhaftem Frieden gelangen. Auf eine größere Ebene übertragen heißt das, daß auch die verschiedenen Länder untereinander stets nur ihren eigenen Vorteil suchen und ihnen dazu oft jedes Mittel recht ist, auch die kämpferische Auseinandersetzung.

Das lag nicht in der Absicht Gottes. Der Mensch war am Anfang für die Gemeinschaft mit Gott erschaffen worden. Ohne diese Gemeinschaft wird er richtungslos wie ein Düsenjäger, der im dichten Nebel fliegt und bei dem plötzlich alle Instrumente ausfallen.

Gott hatte dem Menschen ein einziges Verbot gegeben und ihn vor den Folgen einer Übertretung gewarnt. Der Mensch erkannte sehr wohl, daß der Ungehorsam gegenüber seinem Schöpfer in diesem einen Punkt die Zurückweisung der Gottesgemeinschaft bedeuten würde. Trotzdem wählte er seinen eigenen Weg und verlor so die Gemeinschaft mit Gott, die ihm allein die wahre Erfüllung geben kann und für die er eigentlich geschaffen ist.

Von da an war der Mensch ganz auf sich selbst ausgerichtet. Er wurde selbstsüchtig und unzufrieden. Wieviel Ruhm, Reichtum und Macht er auch erlangt, zufrieden wird er nie. Warum? Weil er die Leere in seinem Innern nicht auszufüllen vermag, ist er zerstritten mit sich selbst, seinem Nachbarn, seiner Familie, stellt sich Volk gegen Volk.

Das einzige Heilmittel gegen den Krieg besteht in einer Wandlung des Herzens. Jesus kam in die Welt, um dem Menschen die verlorene Gottesgemeinschaft wiederzuschenken. Die Bibel verheißt: »Denn auch Christus ist einmal um der Sünde willen gestorben, als Gerechter für Ungerechte, um uns zu Gott zu führen« (1. Petrus 3, 18).

Jesus nahm die gerechte Strafe für unsere Sünden auf sich und starb für uns den Tod am Kreuz. Nur so konnte uns Gott vergeben und wieder in seine Gemeinschaft aufnehmen. Jedem, der dies für sich persönlich im Glauben annimmt, schenkt er gleichsam ein neues Herz, das den Drang nach Gottes- und Nächstenliebe verspürt. Unser Leben erhält eine neue Dimension: Jetzt können wir Gott erkennen. Von nun an lebt sein Heiliger Geist in uns, der uns treibt und fähig macht, den Willen Gottes in unserem Leben zu vollbringen.

Wir machen ganz neue Erfahrungen. Wir haben den Frieden des Herzens, eine neue Ausgeglichenheit, entdecken einen neuen Sinn in unserem Leben, haben ein Bewußtsein von der Gegenwart Gottes in uns, unsere ganze Persönlichkeit wird heil. Mit einemmal interessiert uns auch der andere, der Mitmensch. Eine neue Liebe läßt uns selbst zurücktreten und mehr auf den andern achten.

Keine Regierung vermag diese Haltung durch Verordnungen und Bildungsprogramme zu erreichen, ebensowenig die Psychologie oder die Veränderung der Umwelt! Nur der lebendige Christus vermag das, wenn wir ihm die Verfügungsgewalt über uns eingeräumt haben und er uns unsere Sünden vergeben hat. Was General Douglas McArthur am Ende des Zweiten Weltkrieges in einer Rede vor seiner Schiffsbesatzung aussprach, hat auch heute noch seine volle Gültigkeit. Er sagte: »Wir hatten unsere letzte Chance. Wenn es uns nicht gelingt, durch irgendein geniales System, das noch zu entwickeln wäre, die Welt im Gleichgewicht zu halten, steht Harmagedon vor der Tür. Wir haben es im Grunde dabei mit einem theologischen Problem zu tun. Der Mensch muß geistlich erwachen und sein Charakter sich zum Besseren hin entwickeln; nur so wird er mit dem einzig dastehenden Fortschritt auf den Gebieten der Wissenschaft, der Kunst, der Literatur sowie der materiellen und kulturellen Entwicklung der letzten 2000 Jahre überhaupt fertig werden. Das Geistige muß über das Materielle Sieger werden.«

Leider sagt die Bibel voraus, daß der Mensch die Heilmethode Gottes zurückweisen wird. Er möchte seine Probleme eigenmächtig lösen. Die Furcht vor dem Krieg wird immer weiter wachsen, und wenn man schließlich nicht mehr aus noch ein wissen wird, wird man den Antichristen mit seiner Scheinlösung begeistert aufnehmen. Paulus spricht von der falschen Hoffnung, die die Welt in den Antichristen setzen wird, wenn er schreibt: »Wenn sie sagen: Es herrscht Friede und Sicherheit, gerade dann überfällt sie das Verderben, plötzlich, wie die Wehen eine schwangere Frau, und sie werden sicherlich nicht entrinnen« (1. Thessalonicher 5, 3).

Wohin führt der Weg?

In den vorangegangenen Kapiteln haben wir darzustellen versucht, welche Mächte kurz vor der Wiederkunft Christi in Erscheinung treten werden und wie sich diese Machtblöcke bereits in unseren Tagen zu formieren beginnen. Wir haben gezeigt, wie die Entwicklung auf einen Krisenpunkt hinsteuert. Alle menschlichen Anstrengungen, in der Welt ohne Gott auszukommen, führen zum endgültigen Zusammenbruch.

In diesem Kapitel wollen wir nun die in der Endzeitprophetie angekündigten Ereignisse besprechen, die in der großen Katastrophe von Harmagedon gipfeln. Es wird die Rede sein von den verschiedenen Schlachten, den einzelnen sich bekämpfenden Mächten und ihrem Untergang. Auch werden wir die wichtige Rolle des wiederentstandenen Staates Israel bei der Auslösung der Schlacht von Harmagedon näher betrachten.

Der Zünder ist angebracht

Als die zurückgekehrten Juden in Palästina einen neuen Staat errichteten, schufen sie ein unlösbares Problem. Sie verdrängten die Araber, die seit vielen Jahrhunderten im Lande gewohnt hatten. Alle Debatten und logischen Erörterungen werden niemals die Ursache der zwischen Israelis und Arabern bestehenden Feindschaft auszuräumen vermögen.

Die Juden wird man nicht dazu bringen können, das Land wieder zu verlassen, das Gott ihren Ahnen geschenkt hat. Sie glauben, daß sie einst von den Römern ihres unveräußerlichen Rechts auf ihr Land beraubt wurden. Jahrhundertelange Verfolgungszeiten haben sie gelehrt, daß es kein Land in der Welt gibt, wo sie auf die Dauer geduldet sind oder in Sicherheit leben können. Das Verbleiben in Palästina ist für sie eine Frage des Überlebens überhaupt.

Die Araber sind gleichermaßen unversöhnlich. Nie werden sie die Besetzung Palästinas durch die Juden als unwiderruflich anerkennen. Die Vertreibung der Israelis aus dem Lande ist für sie nationale Ehrensache und religiöse Verpflichtung.

Aus der Bibel ist zu ersehen, daß sich die Nahostkrise weiter verschärfen wird, bis sie schließlich den Weltfrieden bedroht. Alle Welt wird gespannt darauf warten, wie sich das Problem schließlich löst. Wir glauben, daß der kommende römische Diktator des Zehnstaatenbundes als erstes diese Frage in Angriff nehmen und »erfolgreich« lösen wird.

Vor etwa 2500 Jahren kündete der Prophet Daniel an, es werde in der Endzeit ein Fürst aus dem Volk an die Macht gelangen, der die Stadt Jerusalem und den Tempel zerstören werde (Daniel 9, 26). Unter dem Römer Titus ging im Jahre 70 n. Chr. Jerusalem und der Tempel zugrunde; deshalb wird auch der kommende Fürst aus dem römischen Kulturkreis erstehen. Er wird kurze Zeit vor dem zweiten Kommen Christi an die Macht gelangen. Mit dem Volk Israel wird er einen »starken Bund« schließen, einen Vertrag, in dem er ihnen Sicherheit und Schutz gewährleistet. Die Juden werden damit auch die Erlaubnis erhalten, die im Gesetz Moses vorgeschriebenen Opferriten wieder einzuführen. Dazu ist aber der Wiederaufbau des Tempels erforderlich, da Opfer gemäß dem Gesetz nur dort dargebracht werden dürfen. Das alles wird mit Billigung und unter dem Schutz des römischen Antichristen geschehen. Die arabische Reaktion auf einen solchen Schritt läßt sich leicht ermessen.

Nach der prophetischen Zeittafel Daniels wird die siebenjährige Trübsalszeit mit dem Abschluß des Freundschaftspaktes zwischen Israel und Rom ihren Anfang nehmen.

Schon der Prophet Jesaja warnte die Juden mit beschwörenden Worten vor diesem Vertrag: »Weil ihr gesagt habt: Wir haben einen Bund mit dem Tode geschlossen und mit dem Totenreich ein Abkommen getroffen; wenn die Geißel mit ihrer Sturmflut hereinbricht, wird sie uns nicht erreichen; wir haben ja die Lüge zu unserem Schirmdach gemacht und uns in den Trug geborgen . . . Dann wird euer Bund mit dem Tod hinfällig werden und euer Abkommen mit dem Totenreich abgetan sein: wenn die Geißel mit ihrer Sturmflut hereinbricht, werdet ihr von ihr zermalmt werden« (Jesaja 28, 15-18).

Durch eine kluge Lösung des Nahostproblems wird der Antichrist sein Versprechen wahr machen. Er wird der kriegsmüden Welt den Frieden geben. Dann wird er schnell alle Staaten unter seine Kontrolle bringen. Neue Hoffnung wird die Menschheit erfüllen. Er wird phantastische Pläne für wirtschaftlichen Wohlstand und Frieden vorlegen; und den Entwicklungsländern wird er Hilfe versprechen. Kriege scheinen mit einemmal in weite Ferne gerückt. Mit einem Wort: Er wird weltweiten Anklang finden. Man wird sprechen: »Wer ist dem Diktator gleich, und wer kann den Kampf mit ihm aufnehmen?« Nach dreieinhalb Jahren nie dagewesener Fortschritte auf allen Gebieten wird man ihm aufgrund seiner glänzenden Staatskunst als Menschheitsbeglücker göttliche Ehren erweisen. Nur die an Christus Glaubenden werden mit seiner Herrschaft nicht einverstanden sein. Deshalb wird man sie bloßstellen und offen bekämpfen. Sie werden in der Öffentlichkeit weder kaufen noch verkaufen noch überhaupt einer Arbeit nachgehen können. In Massen wird man sie hinrichten zur Warnung für alle, die sich der »Menschheitsverbrüderung« entgegenstellen. Sie aber beharren darauf, daß Christus die einzige dauerhafte Lösung für die Menschheit bringt.

Auf dem Gipfel seines Ruhms wird sich der römische Diktator nach Jerusalem begeben und sich im jüdischen Tempel zum Gott erklären (2. Thessalonicher 2, 4; Matthäus 24, 15). Das wird den Gläubigen als Warnsignal dienen, daß Harmagedon heranrückt. Die im Lande Israel wohnenden Christen werden in den Bergen und Schluchten Zuflucht suchen, wo sie göttlichen Schutz erhalten (Matthäus 24, 16; Offenbarung 12, 6. 14).

Der feuerrote apokalyptische Reiter

»Da kam ein anderes Roß, ein feuerrotes, zum Vorschein, und dem auf ihm sitzenden Reiter wurde Macht verliehen, den Frieden von der Erde wegzunehmen und die Menschen dahin zu bringen, daß sie einander niedermetzeln; und es wurde ihm ein großes Schwert gereicht« (Offenbarung 6, 4).

Sogleich, nachdem sich der Antichrist zum Gott erklärt hat, wird der zweite der apokalyptischen Reiter losgebunden. Dies ist ein Bild für den Krieg, der nun die ganze Welt überziehen wird.

Das vom Antichristen geschaffene Gleichgewicht der Mächte gerät mit einemmal durcheinander. Gott wird damit zeigen, daß der Antichrist ein Lügner ist, der seine Versprechungen nicht einzuhalten vermag. Der von allen Menschen so sehr gefürchtete allumfassende Weltkrieg bricht nun über sie herein.

Der Anfang vom Ende

»In der Endzeit aber wird der König des Südens feindlich mit ihm [dem israelischen Führer] zusammenstoßen« (Daniel 11, 40a).

Die handelnden Personen in dieser Stelle haben wir bereits identifiziert. Der Afro-Arabische Bund unter Führung Ägyptens (der König des Südens) fällt über Israel her. Mit diesem fatalen Fehler hat er sein Schicksal besiegelt. Gleichzeitig bedeutet dieser Schritt den Beginn des Harmagedonfeldzugs. »Da wird dann der König des Nordens mit Wagen [mechanisierte Armee] und Reitern [Kavallerie] und vielen Schiffen gegen ihn [den israelischen Führer] anstürmen« (Daniel 11, 40b).

Das Schaubild I Seite 184 gibt die Truppenbewegungen wieder. Rußland und seine Verbündeten nutzen die Gelegenheit, um in den Nahen Osten einzufallen. Schon seit den napoleonischen Kriegen ist der Vordere Orient ein Anziehungspunkt für die Russen. Hesekiel 38 beschreibt die große russische Streitmacht und ihren Angriffsplan auf Israel.

»So hat Gott der Herr gesprochen: ›Zu jener Zeit werden böse Gedanken in deinem Herzen aufsteigen, und du wirst einen schlimmen Anschlag ersinnen; du wirst nämlich denken: Ich will zu Felde ziehen gegen ein Land, das offen daliegt, will über friedliche Leute herfallen, die ruhig und sorglos leben; sie wohnen ja allesamt in Ortschaften ohne Mauern und haben keine Riegel und Tore. Gegen diese gedenkst du zu ziehen, um schonungslos zu rauben und Beute zu machen, um deine Hand an wiederbewohnte Trümmerstätten zu legen und an ein Volk, das aus Heidenländern gesammelt worden ist und das sich Hab und Gut erworben hat und auf dem Nabel der Welt wohnt‹« (Hesekiel 38, 10-12).

Mit ihrem Einfall in Israel werden die Russen einen strategischen Fehler begehen. Sie halten dann den Augenblick für gekommen, wo sie mühelos die Landbrücke des Nahen Ostens erobern können. Israel kann sich ja nicht selbst verteidigen, sondern ist ganz auf den Beistand des Antichristen angewiesen. Hauptanziehungspunkt ist der Reichtum des Landes. Hesekiel schreibt: » . . . um schonungslos zu rauben und Beute zu machen . . .«

Aus dieser Stelle geht also hervor, daß Israel zu jener Zeit im Wohlstand leben wird. » . . . ein Volk, das aus den Heidenländern gesammelt worden ist, das sich Hab und Gut erworben hat.«

Ernsthafte Theologen haben schon länger erkannt, daß sich Israel einmal zu einer reichen Nation entwickeln würde. Harry Rimmer schrieb bereits im Jahre 1940, als Palästina noch einer ausgedörrten Wüste glich: »Die Entwicklung des Landes hat erst begonnen; nach zehn Jahren steten industriellen Fortschritts wird es das reichste Land der Welt sein; schon eine fünfjährige konsequente Nutzung seiner natürlichen Bodenschätze würde Palästina zum Zankapfel der ganzen Welt machen und es zu einem lohnenden Angriffsziel werden lassen.«

Die biblische Prophetie sagt uns, daß Israel zur Zeit des Antichristen eines der reichsten Länder der Welt sein wird. Ferner heißt es, daß die Juden »auf dem Nabel der Welt« wohnen. Vom geographischen Standpunkt aus betrachtet, trifft das genau zu. Aber hier scheint es doch noch um etwas anderes zu gehen. Die Stelle besagt, daß Israel mit seiner Hauptstadt Jerusalem zum kulturellen, religiösen und wirtschaftlichen Mittelpunkt der Welt werden wird. Den Wert der Minerallager des Toten Meeres hat man auf 1 Billion, 270 Milliarden US-Dollar geschätzt. Das ist mehr als das gesamte Volksvermögen Frankreichs, Englands und der Vereinigten Staaten zusammengenommen.

Nach einem meiner Vorträge über dieses Thema unterhielt ich mich noch mit einem bekannten Ingenieur. Wir sprachen davon, daß man eine billige Energiequelle brauche, wenn man die wichtigen Rohstofflager des Toten Meeres richtig nutzen wolle. Er war der Ansicht, daß es unter den zahlreichen geologischen Verwerfungen im Innern der Erde genug Dampf geben werde, um Turbi-

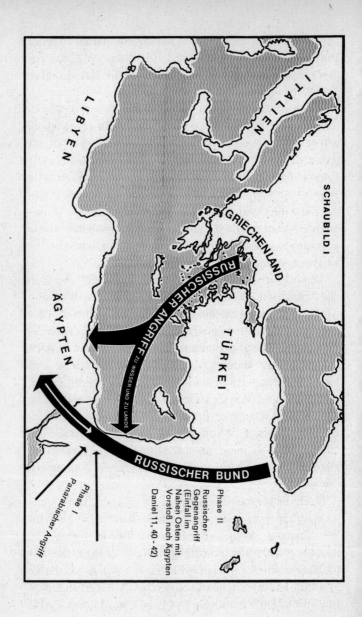

SCHAUBILD I

ITALIEN

LIBYEN

GRIECHENLAND

TÜRKEI

ÄGYPTEN

RUSSISCHER ANGRIFF ZU WASSER UND ZU LANDE

RUSSISCHER BUND

Phase I
panarabischer Angriff

Phase II
Russischer
Gegenangriff
(Einfall im
Nahen Osten mit
Vorstoß nach Ägypten
Daniel 11, 40 - 42)

184

nen zur Gewinnung von Elektrizität anzutreiben. Er nannte dieses neue Verfahren »Geothermale Energiegewinnung«. In naher Zukunft wird Israel Wege finden, um seine riesigen Rohstofflager nutzen zu können.

Einer der Hauptmineralstoffe des Toten Meeres ist die Pottasche, die als ausgezeichnetes Düngemittel gilt. Wenn es einmal zur »Bevölkerungsexplosion« mit Hungersnöten kommen wird, wird sich die Pottasche in der Agrarwirtschaft als äußerst wertvoll erweisen, um neue Böden anbaufähig zu machen.

Rußland wird in Palästina einfallen, um in den Besitz solcher lebenswichtigen Rohstoffe zu gelangen, so sagt es Hesekiel. Außerdem ist Palästina militärstrategisch äußerst wichtig. Die »Landbrücke des Nahen Ostens«, die sich vom Bosporus im Norden bis nach Ägypten im Süden erstreckt, ist schon viele Jahrhunderte lang Streitobjekt sich bekämpfender Nationen. Wer Europa, Asien und Afrika unter Kontrolle haben will, muß dieses Gebiet beherrschen, das im buchstäblichen Sinn drei Kontinente miteinander verbindet. Israel, in der Mitte dieser Landbrücke gelegen, mußte unzählige Male als Schlachtfeld dienen.

Bei der Schilderung der militärischen Seite des kommenden Krieges von Harmagedon bin ich dem Oberst R. B. Thieme, einem ausgezeichneten Fachmann für Militärgeschichte und biblische Sprachen, sehr zu Dank verpflichtet.

Der klassische Doppelbetrug

Die Russen werden in einer Art »Blitzkrieg« gleichzeitig zu Wasser und zu Lande in Palästina einfallen. Im Propheten Daniel lesen wir: »Da wird dann der König des Nordreichs [Rußland] . . . in die Länder des Südens [den

Nahen Osten] eindringen und sie überfluten. Dabei wird er auch in das Prachtland [Israel] einfallen, und Zehntausende werden ihren Untergang finden« (Daniel 11, 40-41).

Der Prophet Hesekiel beschreibt die gleiche Invasion mit folgenden Worten: »Darum verkünde, Menschensohn, dem Gog [dem russischen Führer] folgende Weissagung: So hat Gott der Herr gesprochen: Jawohl, zu jener Zeit, wenn mein Volk Israel wieder in Sicherheit wohnt, wirst du aufbrechen und von deinem Wohnsitz vom äußersten Norden her kommen [Daniel: König des Nordens], du und viele Völker mit dir [die europäischen Ostblockstaaten], allesamt hoch zu Roß, eine große Schar und ein gewaltiges Heer. Du wirst gegen mein Volk heranziehen wie eine Wetterwolke, um das Land zu besetzen. Am Ende der Tage wird es geschehen, daß ich dich gegen mein Land zu Felde ziehen lasse« (Hesekiel 38, 14-16).

Die Russen werden Palästina zu Lande und zu Wasser gleichzeitig angreifen. Der gegenwärtige Aufbau einer russischen Flotte im Mittelmeer ist ein bedeutsames Zeichen für die mögliche Nähe Harmagedons. Die Sowjets haben zur Zeit mehr Schiffe im Mittelmeerraum als die USA, wie verschiedentlich aus den Nachrichtendiensten der letzten Zeit zu entnehmen war. Die Invasion von der Meerseite her wird eine schnelle Einkreisung des Mittelabschnitts der Landbrücke gewährleisten.

Die Stärke des russischen Heeres ist vorausgesagt. In einem Blitzangriff werden die Russen die arabischen Länder und Israel überrennen, bis nach Ägypten vordringen und auch dieses verräterisch niederwerfen. Bei Daniel heißt es nämlich weiter: »Dann wird er seine Hand nach den Ländern ausstrecken [die arabischen Länder des Nahen Ostens]. Auch das Land Ägypten wird ihm nicht entgehen, sondern er [der russische Führer] wird sich der Gold- und Silberschätze und überhaupt aller Kostbarkeiten Ägyptens bemächtigen. Libyer [die Afro-Araber] und Äthiopier [das farbige Afrika] werden in seinem Gefolge sein« (Daniel 11, 42-43).

Wie wir in den Kapiteln 5 und 6 gesehen haben, deutet diese Stelle an, daß der russische Block die Araber, Ägypter und Afrikaner hinters Licht führen, das heißt sie betrügen und eine kurze Zeit den ganzen Nahen Osten kontrollieren wird. Dann wird der russische Führer, der sich mit seiner Hauptstreitmacht in Ägypten aufhält, erschreckende Nachricht erhalten. »Aber Gerüchte aus dem Osten [die Mobilmachung im Fernen Osten] und aus dem Norden [die Mobilmachung in Westeuropa] werden ihn erschrecken. In höchster Wut wird er ausziehen, um viele zu vernichten und zu vertilgen« (Daniel 11, 44).

Wie auf dem Schaubild II Seite 188 dargestellt, wird sich Rußland aus Ägypten zurückziehen und in Israel auf einen Gegenangriff vorbereiten. Die Russen sind alarmiert, weil der römische Diktator überall in der Welt seine Streitkräfte sammelt, um den Friedensbruch zu ahnden. Offensichtlich wird der russische Führer von dem plötzlichen Schritt des Antichristen überrascht sein, weil er mit dem Kampfeswillen des wiedererwachten Römischen Reiches nicht gerechnet hat.

Das Folgende ist nur eine Annahme, aber mir scheint, daß die östlichen Streitkräfte, angeführt von China, mit Zustimmung des römischen Diktators mobilisiert werden, der sich von dieser Seite Hilfe gegen Rußland erhofft. Die Ostvölker werden ihm jedoch am Ende in den Rücken fallen und ein Heer von 200 Millionen Mann gegen ihn ins Feld führen, wie wir in Kapitel 7 gesehen haben.

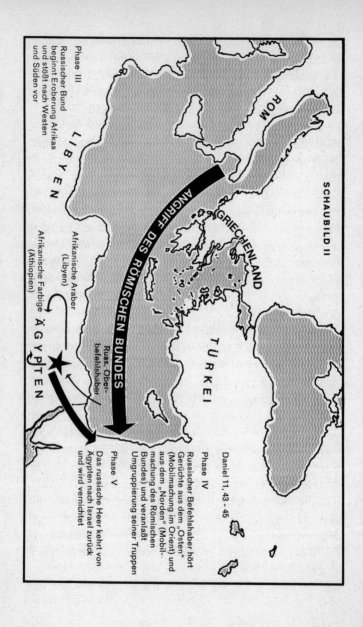

SCHAUBILD II

Daniel 11, 43 - 45

Phase IV

Russischer Befehlshaber hört
Gerüchte aus dem „Osten"
aus dem „Norden" (Mobil-
machung des Römischen
Bundes) und veranlaßt
Umgruppierung seiner Truppen

Phase V

Das russische Heer kehrt von
Ägypten nach Israel zurück
und wird vernichtet

ROM

GRIECHENLAND

TURKEI

ANGRIFF DES RÖMISCHEN BUNDES

LIBYEN

ÄGYPTEN

Russ. Ober-
befehlshaber

Afrikanische Araber
(Libyen)

Afrikanische Farbige
(Äthiopien)

Phase III

Russischer Bund
beginnt Eroberung Afrikas
und stößt nach Westen
und Süden vor

188

Ein genauer Beobachter der Situation im Nahen Osten erkennt leicht, daß die Russen mit den Arabern ein doppeltes Spiel treiben. Sie möchten endlich den alten russischen Traum verwirklichen, das ganze Jahr über Zugang zu schiffbaren Häfen zu haben und in den Besitz der riesigen Erdölvorkommen zu gelangen; dazu benötigen sie freien Zugang zum Nahen Osten. Die arabischen Führer wiegen sich in dem Glauben, die Russen stellten für ihre Wirtschaftshilfe und sonstigen Hilfeleistungen keine Gegenforderungen. In Wirklichkeit verschenkt der Russe keinen Rubel ohne Gegenleistung, wie sich überall in der Welt immer wieder erweist.

Der russische Führer wird sein Hauptquartier auf dem Berge Morija, das heißt im Tempelbezirk von Jerusalem, aufschlagen. Das geht aus Daniel 11, 45 hervor, wo es heißt: »Und er wird sein Palastgezelt aufschlagen zwischen den Meeren [zwischen dem Toten Meer und dem Mittelmeer] und dem Berge der Heiligen Zierde [Zionsberg]; und er wird zu seinem Ende kommen, und niemand wird ihm helfen.«

Das russische Waterloo

Der Prophet Hesekiel verkündete schon vor vielen Jahrhunderten den schrecklichen Untergang der Roten Armee: »So wird denn an demselben Tage, an dem Gog in das Land Israel einrückt – so lautet der Ausspruch Gottes, des Herrn –, die Zornesglut in mir auflodern; und in meinem Zorneseifer, im Feuer meines Ingrimms spreche ich es aus: ›Wahrlich, an jenem Tage wird ein großes Erdbeben im Lande Israel sein! Da sollen vor mir erbeben die Fische im Meer und die Vögel unter dem Himmel, die Tiere auf dem Felde und alles Gewürm, das auf dem Erdboden kriecht, und alle Menschen, die auf dem Erdboden wohnen; die Berge sollen einstürzen, und die Felsen sollen umfallen und alle Mauern zu Boden stürzen. Dann werde ich in meinem ganzen Bergland das Schwert gegen ihn aufbieten‹ – so lautet der Ausspruch Gottes, des Herrn –, ›so daß das Schwert eines jeden sich gegen den anderen kehrt. Und ich will das Strafgericht an ihm vollziehen durch Pest und Blutvergießen, durch Wolkenbrüche und Hagelsteine; Feuer und Schwefel will ich regnen lassen auf ihn und auf seine Kriegsscharen und auf die vielen Völker, die bei ihm sind . . . Aber dort will ich dir den Bogen aus der linken Hand schlagen und die Pfeile deiner rechten Hand entfallen lassen. Auf den Bergen Israels sollst du fallen, du selbst und alle deine Scharen und die Völker, die bei dir sind; den Raubvögeln, allem Getier, das Flügel hat, und den Raubtieren des Feldes überlasse ich dich zum Fraß: auf freiem Felde sollst du fallen; denn ich habe es gesagt!‹ – so lautet der Ausspruch Gottes, des Herrn« (Hesekiel 38, 18-22; 39, 3-5).

Wenn es Feuer und Schwefel regnet und damit ein Erdbeben von nie dagewesenem Ausmaß verbunden ist, könnte sehr wohl auf den Einsatz von taktischen Atomwaffen durch die römische Streitmacht geschlossen werden. Es wird nämlich ausdrücklich gesagt, daß die Streitmacht auf offenem Schlachtfeld von der Vernichtung ereilt wird. In einem solchen Fall könnten Nuklearwaffen eingesetzt worden sein. Gott hat sein Urteil über das fremde Heer, das die Juden vernichten wollte, gefällt. Der Prophet spricht: »Auf den Bergen Israels sollst du fallen, du selbst und alle deine Scharen und die Völker, die bei dir sind.«

Schreckliches ist für die Zeit vorausgesagt, wo die Rote Armee die Vernichtung ereilt:

»Da will ich an Magog [Rußland] und an die in Sorglosigkeit lebenden Bewohner der Meeresländer Feuer legen, damit sie erkennen, daß ich der Herr bin« (Hesekiel 39, 6).

In dieser Zeit wird auf Rußland und viele Länder, die sich unter dem Schutz des Antichristen in Sicherheit wähnten, Feuer vom Himmel fallen. Das könnte sowohl ein direktes Eingreifen Gottes sein oder aber auf einen Atomkrieg hinweisen.

Und die Vereinigten Staaten?

Wahrscheinlich werden die USA mit dem Führer des Zehnstaatenbundes gemeinsame Sache machen und irgendwie dessen Bund angeschlossen sein. Es ist klar, daß Amerika einmal seine Führungsrolle im Westen verlieren wird. Möglicherweise meint Hesekiel auch die USA, wenn er schreibt: »Da will ich an die in Sorglosigkeit lebenden Bewohner der Meeresländer Feuer legen . . .« Das in unseren Übersetzungen mit »Meeresländer« wiedergegebene Wort heißt im Urtext »ai«. Es wurde damals im Sinne von »Erdteile« gebraucht und bezeichnete die großen heidnischen Kulturen jenseits der Meere (von Israel aus gesehen), die meist an den Küsten entlang entstanden waren. Der Sinn der Stelle ist wohl der, daß alle Heidenvölker auf fernen Erdteilen unter den Auswirkungen des göttlichen Strafgerichts zu leiden haben werden. Es kann sich dabei sowohl um die dicht bevölkerten Kontinente und Inseln der westlichen Halbkugel als auch um diejenigen des Fernen Ostens handeln. Kurzum, es ist ein Bild für umwälzende Ereignisse, die die ganze Erde betreffen.

Die größte Schlacht aller Zeiten

Nachdem die vereinigten arabischen und afrikanischen Heere durch die russische Invasion ausgeschaltet sind und auch die russische Armee ihren Untergang gefunden hat, bleiben nur noch zwei Sphären der Macht übrig, die sich in der eigentlichen Schlacht von Harmagedon gegenüberstehen: die vereinten Kräfte der westlichen Welt unter der Führung des römischen Diktators und die gewaltigen Horden des Ostens, die wahrscheinlich mit der rotchinesischen Kriegsmaschinerie vereint sind.

Die Mobilisierung

Nach dem schrecklichen Ende des Nordbundes kommt es möglicherweise zu einer kurzen Beruhigung der Lage, da die Mobilisierung der beiden noch verbleibenden Blöcke eine gewisse Zeit beansprucht. Über den Aufmarsch der »Könige des Ostens« lesen wir in Offenbarung: »Hierauf goß der sechste Engel seine Schale auf den großen Strom Euphrat aus; da vertrocknete sein Wasser, damit den Königen des Ostens der Weg offen stände« (Offenbarung 16, 12).

Anführer dieses großen apokalyptischen Heeres werden die Chinesen sein. Sie werden sich die allgemeine Verwirrung im Nahen Osten zunutze machen und den römischen Diktator zum Kampf herausfordern, um die Weltherrschaft an sich zu reißen.

Wenn sich das Heer, dessen Zahl die Bibel mit 200 Millionen angibt, zum Ostufer des Euphrat in Bewegung setzt, wird der römische Diktator seine Heere kampfbereit machen. »Und ich sah aus dem Maul des Drachen [Satan] und aus dem Maul des Tieres [der römische Diktator] und aus dem Munde des falschen Propheten drei unreine Geister wie Frösche hervorkommen – sie sind nämlich Teufelsgeister, welche Wunderzeichen verrichten – diese gehen aus zu den Königen und Herrschern des ganzen Erdkreises, um sie zum Kampf am großen Tage Gottes des Allmächtigen zu sammeln. Und sie versammelten sie in der Gegend, die auf hebräisch Harmagedon heißt« (Offenbarung 16, 13-14.16).

In diesem Abschnitt werden verschiedene Aussagen gemacht. Die hier beschriebenen Ereignisse stellen die Endgerichte Gottes über die christusfeindliche Welt dar. An anderer Stelle der Offenbarung heißen sie die sieben Schalengerichte. Sie ereignen sich kurz vor und während der Zeit der sichtbaren Wiederkunft Christi. Wir sehen dann weiter, daß der römische Diktator und sein Gefährte, der falsche Prophet, in dämonischer Kraft alle Völker der Erde, die nicht mit China verbündet sind, dazu bringen werden, ihre Heere nach Palästina zu entsenden, um dort die letzte Kriegsmacht in der Welt zu vernichten. Wahrscheinlich versprechen sie ein Zeitalter des ewigen Friedens, wenn erst einmal das Heer des Ostens geschlagen sei. Drittens sehen wir, daß »die Könige der ganzen Welt« ihre Streitmacht nach Palästina entsenden, um unter dem Oberkommando des Antichristen gegen die Heere des Ostens zu kämpfen. Zweifellos werden dort die Länder Westeuropas, die Vereinigten Staaten, Kanada, Südamerika und Australien vertreten sein.

Viertens sehen wir, daß die feindlichen Heere sich in einem Gebiet, das Harmagedon heißt, zum Kampf gegenüberstehen werden.

Harmagedon stand seit jeher sprichwörtlich für die Schrecken des Krieges. Dr. Seiss schreibt über die Bedeutung des Wortes Harmagedon: »Harmagedon bedeutet wörtlich übersetzt ›Berg von Megiddo‹; im weiteren Sinn versteht man darunter die Jesreel-Ebene, die das Heilige Land vom Mittelmeer bis zum Jordan wie ein Gürtel durchschneidet. Die hebräische Wurzel des Wortes Harmagedon heißt soviel wie ›abhauen‹, ›erschlagen‹, ›töten‹, ›schlachten‹; in der Tat war Megiddo stets ein Schlachtfeld!«

Zahllose blutige Schlachten der biblischen Geschichte fanden in diesem Gebiet statt. Von Napoleon wird berichtet, daß er, als er sich im Gebiet von Megiddo befand, sich an die Bibelstelle von der Schlacht von Harmagedon erinnerte und sagte: »Hier könnten sich wirklich alle Heere der Welt zur Schlacht aufstellen.« Im alttestamentlichen Buch Joel heißt diese Ebene ›Tal Josaphat‹.

Heute liegt an seinem Westeingang der Hafen Haifa. Hier befindet sich eine der am leichtesten zugänglichen Stellen Palästinas, wie geschaffen für eine Invasion vom Meere her. Aber auch eine Invasion aus der Luft ließe sich in diesem Tal leicht bewerkstelligen.

Das Tal der Entscheidung

Vor 2700 Jahren sah der Prophet Joel die apokalyptische Schlacht der Endzeit bereits voraus: »Mache dieses unter den Heidenvölkern bekannt: Rüstet euch zum Heiligen Krieg. Bietet die geübten Streiter auf. Laßt alle Kriegsleute aufmarschieren und anrücken! Schmiedet eure Pflugscharen zu Schwertern und eure Winzermesser zu Lanzenspitzen! Der Feigling sage: Ich bin ein Held! Eilt und kommt herbei, ihr Heidenvölker, und schart euch zu- sammen! Dorthin Herr, laß deine Streiter hinabziehen! Die Völker sollen sich aufmachen und in das Tal Josaphat hinabziehen; denn dort will ich zu Gericht sitzen über alle Heidenvölker ringsum; legt die Sichel an, denn die Ernte ist reif! Kommt und stampft, denn die Kelter ist voll, ja, die Kufen fließen über, denn ihre Gottlosigkeit ist groß! Scharen über Scharen treffen im Tal der Entscheidung ein, denn nahe ist der Tag des Herrn im Tal der Entschei- dung« (Joel 3, 9-14).

Hier im Tal Josaphat wird der Messias die Heere der Welt vernichten und sein Reich des wahren Friedens und ewigen Glücks errichten.

Man beachte, wie genau die Bibel über Harmagedon berichtet. In unserer Zeit der H-Bomben und Superwaf- fen scheint es fast unglaublich, daß je wieder ein Welt- krieg mit vorrangig konventionellen Mitteln geführt wird. Aber die Chinesen sind auch heute noch der An- sicht, daß sie mit ihrer zahlenmäßig weit überlegenen Streitmacht wohl in der Lage sind, riesige Verluste zu verkraften und dennoch einen Krieg zu gewinnen. Sie glauben, daß ein Krieg nur zu Lande durch Landstreit- kräfte wirklich entschieden werden kann.

Weiter ist in diesem Zusammenhang festzustellen, daß ein 200-Millionenheer niemals auf dem Luft- oder See- weg von China zu einem Kriegsschauplatz transportiert werden könnte. Dazu könnte China niemals die entspre- chenden Transportmöglichkeiten bereitstellen. Deshalb muß die Truppenbewegung zwangsläufig auf dem Land- weg erfolgen, wie es uns ja auch in Offenbarung 16, 12 berichtet wird.

Eine interessante Neuigkeit wurde kürzlich aus Indien bekannt. Es hieß, daß im pakistanischen Kaschmir 12 000 chinesische Soldaten zum Bau einer Straße eingesetzt seien, die den Chinesen von Tibet aus einen leichteren Zugang zum indischen Subkontinent schaffen werde. Indien nennt das chinesische Straßenbauprogramm »eine Bedrohung des Friedens in Asien«. Es hieß, daß die »in Eile verwirklichten Straßenprojekte von wachsender strategischer Bedeutung sind«.

Ist diese Fernstraße erst einmal vollendet, erlaubt sie den schnellen Transport von Millionen chinesischer Soldaten in den Nahen Osten. So wird buchstäblich der Weg geebnet, damit die Weissagung Jesu in Erfüllung gehen kann. » . . . und wenn jene Tage nicht verkürzt würden, so würde kein Mensch gerettet werden . . .« (Matthäus 24, 22).

Die Heere des Antichristen werden sich den Königen des Osten in einer Schlacht zum Kampf stellen, die sich über ganz Israel ausdehnen wird. Die Achse der Front wird durch das Tal Megiddo verlaufen.

Nach dem Propheten Sacharja werden sich um die Stadt Jerusalem schreckliche Kämpfe abspielen (Sacharja 12, 2-3; 14, 1-2).

Jesaja spricht von einem furchtbaren Gemetzel südlich des Toten Meeres im alten Edom (Jesaja 63, 1-4).

In Offenbarung 14, 20 lesen wir, daß nach der Endzeitschlacht von Harmagedon nördlich und südlich von Jerusalem über etwa 300 km weit den Pferden das Blut bis zum Zaum stehen werde.

Das scheint menschliche Vorstellungskraft zu übersteigen; aber Gott will zeigen, wozu die menschliche Natur von sich aus fähig ist. Kein Wunder, daß Jesus gesagt hat: »Denn es wird alsdann eine schlimme Drangsalszeit eintreten, wie noch keine seit Anfang der Welt dagewesen und wie auch keine wieder kommen wird« (Matthäus 24, 21).

Die Katastrophen der Endzeit werden nicht auf den Nahen Osten begrenzt bleiben. In der Offenbarung lesen wir, daß zur Zeit der Schlacht von Harmagedon das größte Erdbeben aller Zeiten die Welt erschüttern wird. Ob es ein natürliches Beben sein wird oder durch irgendeine Superwaffe hervorgerufen wird, wissen wir nicht. Alle Städte der Welt werden zerstört werden (Offenbarung 16, 19).

Man stelle sich vor: Städte wie London, Berlin, Paris, Tokio, New York liegen mit einemmal in Schutt und Asche. Die Heere aus dem Osten allein werden ein Drittel der Erdbevölkerung töten (Offenbarung 9, 15-18).

In Jesaja stehen die Verse: »Siehe, Jahwe leert das Land aus und verödet es; und er kehrt seine Oberfläche um und zerstreut seine Bewohner.

Und die Erde ist entweiht worden unter ihren Bewohnern; denn sie haben die Gesetze übertreten, die Satzung überschritten, gebrochen den ewigen Bund. Darum hat der Fluch die Erde verzehrt, und es büßen ihre Bewohner; darum sind verbrannt der Erde Bewohner, und wenig Menschen bleiben übrig« (Jesaja 24, 1. 5-6).

»Die Erde klafft auseinander, die Erde zerberstet, die Erde schwankt hin und her; die Erde taumelt wie ein Trunkener und schaukelt wie eine Hängematte« (Jesaja 24, 19-20).

Alles dies weist auf die Anwendung unglaublicher Superwaffen überall in der Welt hin.

Ein Hoffnungsstrahl

Die Ereignisse von Harmagedon, die mit der Invasion der Araber in Israel und dem russischen Bund beginnen und sich in der totalen Vernichtung des russischen Heeres fortsetzen, bedeuten gleichzeitig den Anfang einer Massenhinwendung der Juden zu ihrem Gott und seinem Messias, Jesus Christus. Wie wir aus dem Propheten Hesekiel erfahren, wird die plötzliche Abwendung der Gefahr aus dem Norden den Juden wie ein Wunder vorkommen; viele werden darin die Hand des Herrn sehen und sich bekehren.

Gott spricht durch den Propheten Hesekiel: »Da will ich an Magog [Rußland] und an die in Sorglosigkeit lebenden Bewohner der Meeresländer Feuer legen, damit sie erkennen, daß ich der Herr bin. Aber inmitten meines Volkes Israel will ich meinem heiligen Namen Anerkennung verschaffen und werde meinen heiligen Namen nicht länger entweihen lassen, damit die Heidenvölker erkennen, daß ich der Herr bin, der Heilige in Israel. Wisset wohl: Es kommt und geht in Erfüllung! – so lautet der Ausspruch Gottes des Herrn –; das ist der Tag, auf den ich hingewiesen habe [d. h. durch die Propheten]«, (Hesekiel 39, 6-8).

Sacharja sagt voraus, daß sich ein Drittel der dann lebenden Juden bekehrt und auf wunderbare Weise errettet wird.

»Dann sollen im ganzen Lande – so lautet der Ausspruch des Herrn – zwei Drittel ausgerottet werden, der dritte Teil aber soll darin übrig bleiben. Dieses letzte Drittel will ich dann ins Feuer bringen und sie schmelzen, wie man Silber schmelzt, und sie läutern, wie man Gold läutert. Sie werden dann meinen Namen anrufen, und ich werde ihnen antworten und sagen: ›Dies ist mein Volk!‹ Und es wird ausrufen: ›Der Herr ist mein Gott!‹« (Sacharja 13, 8-9).

Wenn sich die Schlacht von Harmagedon ihrem Höhepunkt nähert und es so aussieht, als werde alles Leben auf

Erden vernichtet, dann kommt Jesus Christus auf die Erde zurück. Er wird die Menschen vor der Selbstvernichtung retten.

Die Geschichte bewegt sich auf diesen Zeitpunkt zu. Fürchten Sie sich davor, oder erwarten Sie voll Hoffnung die Befreiung? Die Antwort auf diese Frage beleuchtet den geistlichen Zustand, in dem Sie sich befinden. Prüfen Sie sich ganz persönlich! Sind Sie bereit?

Die Vereinten Nationen haben das Ziel, den Frieden und die internationale Sicherheit aufrechtzuerhalten und zu diesem Zweck wirksame kollektive Maßnahmen zur Ausschaltung und Verhinderung von Bedrohungen des Friedens zu ergreifen. UN-Charta, 1945

Dies habe ich zu euch geredet, damit ihr in mir Frieden habt. In der Welt habt ihr Bedrängnis, doch seid getrost: ich habe die Welt überwunden. Jesus Christus

KAPITEL 13

DAS HAUPTEREIGNIS

Eingemauert in den Grundstein des UN-Gebäudes in New York befindet sich ein Auszug aus dem Propheten Jesaja, der folgendermaßen lautet: »Sie werden ihre Schwerter zu Pflugscharen umschmieden und ihre Lanzen spitzen zu Winzermessern; kein Volk wird noch gegen ein anderes Volk das Schwert erheben, und sie werden sich hinfort nicht mehr auf den Krieg vorbereiten« (Jesaja 2, 4).

. Fürwahr ein edler Gedanke, der oft von Männern zitiert wurde, die sich dem Frieden verschrieben hatten. Die Sache hat jedoch einen Haken: Der Satz ist aus dem Zusammenhang herausgenommen. Der Abschnitt, aus dem die Stelle stammt, spricht von der Zeit, da der Messias im Tausendjährigen Reich von Jerusalem aus die Welt in Frieden regieren wird. In jener Zeit werden die Völker der ganzen Welt nach Jerusalem hinaufziehen und die Belehrung des Herrn willig annehmen (Jesaja 2,

3). Erkenntnis des wahren Gottes wird auf der Erde Allgemeingut sein. Für das Kommen dieses goldenen Zeitalters beten wir im Gebet des Herrn: »Dein Reich komme, dein Wille geschehe, wie im Himmel, so auch auf der Erde!« (Matthäus 6, 10).

Die Menschen suchen heute vergeblich nach Frieden, weil man den Friedensfürsten Jesus Christus zurückweist. Auf der politischen Ebene ist der Name Christi verpönt. Der Geist des »Antichristen« beherrscht die Regierungen der Welt. Man sagt, Christus sei für die Lösung der uns bedrängenden Probleme belanglos.

Dem einzelnen ist es jederzeit möglich, Frieden zu finden, wenn er Jesus in sein Herz und Leben aufnimmt. Die Welt wird jedoch erst Frieden erlangen, nachdem Jesus bei seiner Wiederkunft das Tausendjährige Reich errichtet hat und vom Thron Davids in Jerusalem aus die Welt regiert (Offenbarung 20, 4-6).

Den Herrschern der Welt wird in vielen prophetischen Stellen der Bibel gesagt, daß ihre gottlose, egoistische und gewaltsame Herrschaft dann dem Gottesreich weichen muß. Die zweite Wiederkunft Jesu wird auf dem Höhepunkt weltweiter Katastrophen erfolgen, wenn sich der Mensch bis an den Rand der Selbstvernichtung gebracht hat. Wenn der Abfall von Gott und seinem Sohn am größten ist, wird plötzlich die Wende erfolgen. Der Psalmist sagt: »Die Könige der Erde rotten sich zusammen, und die Fürsten halten Rat miteinander gegen den Herrn und seinen Gesalbten. Laßt uns zerreißen ihre Bande und von uns werfen ihre Fesseln!« (Psalm 2, 2-3).

Trotz des eigenmächtigen Machtstrebens des Menschen, Alleinherr der Erde zu sein, wird Gott einmal seinen König, den Messias Jesus, auf den Thron setzen. »Habe ich doch meinen König eingesetzt auf Zion, meinem heiligen Berge« (Psalm 2,6).

Viele unserer christlichen Theologen und Kirchenmänner glauben heute nicht mehr an eine buchstäbliche und leibliche Wiederkunft des Herrn. Manche lehren, daß Jesu Wiederkunft geistlich zu verstehen sei, wenn nämlich der einzelne zum Glauben käme. Das und nichts anderes sei mit den vielen Weissagungen über seine Wiederkunft gemeint. Andere lehren zwar, daß Jesus eines Tages wiederkomme, sagen aber, es sei müßig, sich schon vor dem Ereignis Gedanken darüber zu machen. Die letzteren sind schlimmer als die ersten; denn jeder fünfundzwanzigste Vers im Neuen Testament spricht vom zweiten Kommen Christi. Das Überleben der Menschheit sowie die Erfüllung Hunderter bedingungsloser Verheißungen, die sich in besonderer Weise auf den gläubiggewordenen Überrest der Juden beziehen, hängen von dem zweiten Kommen Jesu ab. Im Alten Testament finden sich über 300 prophetische Stellen über das erste Kommen Christi, von denen alle wörtlich erfüllt wurden. Über 500 Verheißungen sprechen von seinem zweiten Kommen. Oftmals finden sich diese beiden Themen der Prophetie im gleichen Satz.

Wir haben schon gehört, daß der Apostel Petrus klar davor gewarnt hat, daß in den Tagen vor der Wiederkunft des Herrn falsche Lehrer in den Gemeinden aufstehen werden, die sagen: »Wo ist denn seine verheißene Wiederkunft? Seitdem die Väter entschlafen sind, bleibt ja alles so, wie es seit Beginn der Schöpfung gewesen ist« (2. Petrus 3, 4).

Charakteristische Kennzeichen der Wiederkunft Christi

Sogleich nach der Himmelfahrt Jesu vom Ölberg aus, während seine Jünger noch dastanden und ihrem Herrn in Furcht und Verwunderung nachsahen, verkündete ih-

nen ein Engel seine Rückkehr: »Und als sie ihm noch un-
verwandt nachschauten, während er zum Himmel auffuhr, standen mit einemmal zwei Männer in weißen Gewändern bei ihnen, die sagten: ›Ihr Männer aus Galiläa,
was steht ihr da und blickt zum Himmel empor? Dieser
Jesus, der aus eurer Mitte in den Himmel emporgehoben
worden ist, wird in derselben Weise kommen, wie ihr ihn
in den Himmel habt auffahren sehen‹« (Apostelge-
schichte 1, 10-11).

In der gleichen Weise wird Jesus wiederkommen, wie
er von seinen Jüngern schied: leiblich, sichtbar und persönlich. In der Offenbarung lesen wir: »Seht, er kommt
mit den Wolken, und sehen werden ihn die Augen aller,
auch die, welche ihn durchstochen haben; und wehklagen
werden um ihn alle Geschlechter der Erde« (Offenbarung 1, 7).

Sacharja, der schon 500 Jahre vorher lebte, schreibt
das gleiche: » . . . so daß sie [die gläubigen Israeliten] auf
den hinblicken werden, den sie durchbohrt haben [Jesus]
und um ihn wehklagen, wie man um den einzigen Sohn
wehklagt . . .« (Sacharja 12, 10).

Bei seinem Verhör vor dem Hohenpriester bekräftigte
Jesus unter Eid: » . . . Doch ich tue euch kund: Von jetzt
ab werdet ihr den Menschensohn sitzen sehen zur Rechten der Macht [des allmächtigen Gottes] und kommen
auf den Wolken des Himmels« (Matthäus 26, 64).

Auf diese Worte hin wurde er verurteilt, weil man ihm
Gotteslästerung unterstellte. Jesus bezog hier zwei der
bestbekanntesten messianischen Stellen der Bibel auf
seine Person. Die erste steht in den Psalmen und erging
tausend Jahre vor Christus. Sie heißt: »Der Herr sprach
zu meinem Herrn: Setze dich zu meiner Rechten, bis ich
deine Feinde lege zum Schemel deiner Füße« (Psalm
110, 1).

Der zweite Spruch steht im Danielbuch (550 v. Chr.): »Ich schaute in Gesichten der Nacht: Und siehe, mit den Wolken des Himmels kam einer wie eines Menschen Sohn; und er kam zu dem Alten an Tagen und wurde vor denselben gebracht. Und ihm wurde Herrschaft und Herrlichkeit und Königtum gegeben, und alle Völker, Völkerschaften und Sprachen dienten ihm; und seine Herrschaft ist eine ewige Herrschaft, die nicht vergeht, und sein Königtum ein solches, das nie zerstört wird« (Daniel 7, 13-14).

Kein Wunder also, daß der oberste jüdische Gerichtshof, das Synedrium, in Wut geriet. Jesus erhob hier mit seiner kurzen Antwort einen für ihre Ohren so ungeheuerlichen Anspruch, daß ihnen nur zwei Möglichkeiten der Reaktion blieben: entweder niederzufallen und ihn anzubeten oder aber ihn umzubringen. Sie entschieden sich für das Zweite.

Das zweite Kommen wird plötzlich und überraschend erfolgen

Jesus kündigte an, daß seine Wiederkunft unerwartet sein werde: »Denn wie der Blitz vom Osten ausgeht und bis zum Westen leuchtet, so wird es auch mit der Ankunft des Menschensohnes sein« (Matthäus 24, 27).

Ein andermal sprach er: »Und dann wird das Zeichen des Menschensohnes am Himmel erscheinen, und dann werden alle Völker der Erde wehklagen und werden den Menschensohn auf den Wolken des Himmels mit großer Macht und Herrlichkeit kommen sehen« (Matthäus 24, 30).

Vielleicht ist mit dem »Zeichen des Menschensohnes« ein großes Bild Jesu am Himmel gemeint, das allen sichtbar ist. Das wäre eine Erklärung dafür, daß alle Menschen mit einemmal erkennen, wer er ist, wenn alle seine Wundmale erblicken.

Er kommt mit den Heiligen

Viele Bibelstellen, die von der Wiederkunft Christi handeln, sprechen von seinem Kommen mit »den Wolken des Himmels«. Wir denken, daß mit den »Wolken« die Myriaden von Heiligen gemeint sind, die Jesus bei seiner Wiederkunft begleiten sollen. In Hebräer 12, 1 werden die Gläubigen »eine Wolke von Zeugen« genannt. In diesem Sinne bedeuteten die Wolken dann die Christen aller Zeiten, sowohl alle vor der Entrückung bereits Verstorbenen als auch bei der Entrückung Verwandelten (Offenbarung 19, 14).

Ein »Heiliger« im neutestamentlichen Sinn ist ein Mensch, der für Gott abgesondert wurde. Alle, die Christus in ihr Leben aufgenommen haben, sind Heilige. Dieses Wort wird oft gebraucht, wenn die gemeint sind, die Jesus bei seiner Wiederkehr begleiten. In Sacharja 14, 5 lesen wir vom zweiten Kommen Christi: »... dann wird der Herr, mein Gott, kommen und alle Heiligen mit ihm.«

Auch Johannes spricht vom Erscheinen der Heiligen zusammen mit Christus bei seiner Wiederkunft. »Die himmlischen Heerscharen folgten ihm auf weißen Rossen und waren mit glänzend weißer Leinwand angetan« (Offenbarung 19, 14).

Was bedeuten die weißen Gewänder? In Offenbarung 19, 8 erhalten wir die Antwort: »Und ihr [der aus allen Gläubigen bestehenden zum Herrn entrückten Gemeinde] ist verliehen worden, sich in glänzend weiße Leinwand zu kleiden; die Leinwand bedeutet die Gerechtigkeit der Heiligen.«

Als Jesus vor 2000 Jahren Mensch wurde, kam er als Retter und Erlöser. Er kam als das Lamm Gottes, das sein Leben für die Sünde der Welt dahingab. Von jetzt an lag es am Menschen, das Heil in Christus anzunehmen oder abzuweisen. Beim zweiten Kommen ist Christus nicht mehr das Lamm, sondern dann gleicht er einem »Löwen«. Er kommt zum Gericht, dem alle ausgeliefert sind, die sein Heil abgelehnt haben.

Nach Sacharja wird Gott »alle Völker zum Krieg gegen Jerusalem versammeln«. Die Juden befinden sich in einer verzweifelten Lage. Dann wird Gott ihnen übernatürliche Kraft schenken, für sie streiten und sie erretten.

Jesus selbst wird auf den Ölberg herabkommen, an den Ort, von wo er einst zum Himmel auffuhr. Der Berg wird in dem Augenblick, in dem Jesu Füße ihn berühren, durch ein Erdbeben in zwei Teile auseinanderklaffen. Es entsteht eine riesige Schlucht, die nach West und Ost mitten durch den Berg hindurchläuft. Nach Osten hin wird sie bis zum Nordzipfel des Toten Meeres reichen, nach Westen bis zum Mittelmeer (Sacharja 14).

Es wurde mir berichtet, daß eine Ölgesellschaft bei seismographischen Messungen in jenem Gebiet einen riesigen Schichtenbruch (Spalte) entdeckt hat, der sich von Ost nach West genau mitten durch den Ölberg zieht. Es handelt sich um einen Bruch von solchem Ausmaß, daß sich der Berg in jedem Augenblick spalten könnte. Er erwartet geradezu die Füße Jesu.

Dann weissagt der Prophet etwas sehr Seltsames: Anstatt bei diesem Naturereignis von dort zu fliehen, flüchten sich die gläubigen Juden, die diese Prophetie kennen, gerade in die Schlucht hinein. Sie erkennen, daß sie ein von Gott bereiteter Zufluchtsort vor den Katastrophen ringsum darstellt. Sie dient ihnen als eine Art »Luft-schutzkeller«.

In Sacharja 14, 12 lesen wir, wie der Herr an jenem Tage gegen die versammelten feindlichen Heere vorgehen wird. »Darin aber wird das Strafgericht bestehen, mit dem der Herr alle Völker heimsuchen wird, die gegen Jerusalem zu Felde gezogen sind: Er wird ihr Fleisch vermodern lassen, während sie noch auf ihren Füßen stehen; die Augen werden ihnen in ihren Höhlen verfaulen und die Zunge ihnen im Munde verwesen.«

Ein schreckliches Bild! Unwillkürlich muß man an die Folgen einer Atombombenkatastrophe denken!

Die Errichtung des Tausendjährigen Reiches auf Erden

Nachdem Christus alle gottlosen Königreiche vernichtet hat, »wird der Herr dann König sein über die ganze Erde; an jenem Tage wird der Herr der alleinige Gott sein und sein Name ›der einzige‹«.

Heutzutage glauben die meisten Theologen und Kirchenmänner nicht mehr an die Möglichkeit eines Tausendjährigen Reiches auf Erden. Auch von denen, die an eine persönliche Wiederkunft Christi glauben, weisen viele den Gedanken zurück, daß Christus dann vom Thron Davids aus ein sichtbares irdisches Reich regieren werde. Das Tausendjährige Reich heißt auch »Millennium« [von »mille« = »tausend« und »annum« = »Jahr«]. Es gibt unter den Christen hauptsächlich drei Auffassungen bezüglich des Tausendjährigen Reiches. Die erste Gruppe lehnt es ganz ab. Die zweite Gruppe glaubt an die Errichtung eines sichtbaren Gottesreiches nach der persönlichen Wiederkunft Christi auf Erden. Dann gab es bis vor einiger Zeit noch eine dritte Gruppe, die die Lehre von der Wiederkunft Christi nach tausend Jahren vertrat. Sie lehrte, daß die Kirche das Übel in der Welt ausrotten und aus eigener Kraft ein weltweites christliches Reich errichten werde. Wenn dann die Kirche tausend Jahre in Frieden und Gerechtigkeit geherrscht habe, geschehe die Wiederkunft Christi zum Weltende. Man deutete vieles in der Schrift sinnbildlich und vertrat die Meinung, im Grunde sei der Mensch gut. Der Erste Weltkrieg bedeutete für diese Auffassung einen starken Rückschlag, und der Zweite Weltkrieg führte die ganze Lehre ad absurdum. Kein ernstzunehmender Theologe wird heute den immer mehr schwindenden Einfluß alles Christlichen in der Welt leugnen können.

Wir zählen uns zu der zweiten Gruppe, das heißt, wir vertreten die Lehre von der Wiederkunft Christi vor dem Millennium. Die grundlegende Meinungsverschiedenheit zwischen denen, die an ein Tausendjähriges Reich unter der Herrschaft Christi glauben, und denen, die diesen Standpunkt ablehnen, beruht auf der verschiedenen Deutung der Schrift. Die einen deuten sie sinnbildlich, die anderen wörtlich. Wir haben in diesem Buch eingehend bewiesen, daß alle Prophetie, die sich auf bereits geschehene Ereignisse bezieht, *wörtlich* in Erfüllung ging, besonders die Weissagung in bezug auf das erste Kommen Christi in diese Welt. Wörtliche Deutung der Schrift besagt, daß die Bibelworte wörtlich zu nehmen sind, das heißt in ihrem normalen Sinn, wie ihn die Menschen jener Zeit verstanden. Die Worte der Bibel wurden nicht geschrieben, um von denen wegdiskutiert zu werden, die sie nicht glauben können.

Auch die Gegner der Lehre vom Tausendjährigen Reich unter der Herrschaft des Messias müssen widerwillig eingestehen, daß man bei einer wörtlichen Auslegung der Schrift um die Lehre von einem sichtbaren Tausend-jährigen Reich Gottes auf Erden, das dann in ein ewiges Reich einmündet, nicht herumkommt.

Es geht hier um die eminent wichtige Frage: Hält Gott seine Verheißungen? Denn er hat den Nachkommen des Stammvaters Abraham ein irdisches Reich verheißen, das der Messias vom Thron Davids aus beherrschen soll. Die an den Messias glaubenden Juden werden einst das Land besitzen, das im Osten an den Euphrat und im Westen an den Nil grenzt (1. Mose 15, 18-21).

Jerusalem wird der geistige Mittelpunkt der Welt sein, zu dem jährlich einmal die Völker der Erde hinpilgern werden, um Jesus dort anzubeten (Sacharja 14, 16-21; Jesaja 2, 3; Micha 4, 1-3). Der gläubige Überrest der Juden wird zur geistlichen Führungselite in der Welt werden und alle Völker die Wege des Herrn lehren (Sacharja 8, 20-23; Jesaja 66, 23).

Das wiederhergestellte Paradies

Im Königreich Gottes wird es Frieden und Gerechtigkeit geben. Allenthalben wird die wahre Gotteserkenntnis verbreitet sein. Sogar die Tierwelt wird ihre Wildheit verlieren, und »der Löwe wird Stroh fressen wie das Rind«. Es wird keine Not mehr geben, denn alles wird reichlich vorhanden sein. Das »Paradies auf Erden«, das schon so viele Herrscher der Welt versprochen, aber nie verwirklicht haben, ist dann unter der Herrschaft Christi Wirklichkeit geworden. Die Sanftmütigen, nicht die Hochmütigen, werden das Reich erben (Jesaja 11).

Vorspiel zur Ewigkeit

Wie in den Kapiteln 8 und 9 dargelegt, sah Daniel in prophetischen Gesichten die großen Weltreiche von seiner

Zeit an bis zum Ende. Wir erkannten in den geschauten Bildern Babylon, Medopersien, Griechenland und Rom (das alte Römische Reich und das wiedererwachte Römische Reich der Endzeit). Das fünfte Weltreich, das nach dem Propheten das wiedererwachte Römische Reich überwinden wird, ist das messianische Reich (Daniel 7, 13-27).

Das Königreich des Messias wird von sterblichen Menschen bewohnt sein (Offenbarung 20, 4-6) und tausend Jahre währen. Am Ende der tausend Jahre werden sich einige der Nachkommen der Gläubigen, die einst in das Reich hineingelangt waren, gegen Gott auflehnen. Christus wird den Aufstand niederschlagen, ehe es zum Kampf gekommen ist (Offenbarung 20, 7-10).

Nach diesem Ereignis wird die menschliche Geschichte in ihrer heutigen Form aufhören. Alle Ungläubigen werden nach der Niederwerfung der von Satan angezettelten Rebellion gerichtet werden. Der Teufel war nach seiner tausendjährigen Fesselung wieder für kurze Zeit freigelassen worden und hatte viele zum Abfall angestiftet. Alle zu jenem Zeitpunkt noch Lebenden werden zur Unsterblichkeit gelangen; das Reich Gottes wird nicht enden, sondern nur seine Form ändern. Himmel und Erde werden eine grundlegende Verwandlung erfahren.

In den letzten Kapiteln der Offenbarung ist die Reihenfolge der beschriebenen Ereignisse klar erkennbar. Zuerst erfolgt das zweite Kommen Christi, und zwar auf dem Höhepunkt des apokalyptischen Krieges der Endzeit. Dann trennt Christus die überlebenden Gläubigen von den Ungläubigen, anschließend erfolgt das Gericht über die Ungläubigen. Zu letzteren wird er sprechen: »Hinweg von mir, ihr Verfluchten, in das ewige Feuer!« (Offenbarung 20, 11-15; vgl. Matthäus 25, 41-46). Dann errichtet Christus das Tausendjährige Reich, in das die überlebenden Gläubigen als sterbliche Menschen eingehen und von neuem die Erde bevölkern werden (Offenbarung 20, 4-6; vgl. Matthäus 25, 31-40). Am Ende der tausend Jahre werden sich ihre ungläubigen Nachkommen gegen Christus auflehnen; Christus richtet sie und verwandelt dann den alten Himmel und die Erde und schafft einen neuen Himmel und eine neue Erde (Offenbarung 21; Jesaja 65, 17; 2. Petrus 3, 13). An der verwandelten Welt haben dann alle in Christus Erlösten Anteil.

Mancher hat sich sicher schon Gedanken darüber gemacht, wie es wohl im Himmel sein wird. Stellen wie Offenbarung 21 und 22 sagen uns, daß der Himmel ein wirklicher, atemberaubender Ort sein muß. Wir werden darin nicht als körperlose Geister umherschweifen und in einem ätherischen Raum Harfe spielen. Wir werden als Erben Christi, Könige und Priester in ewiger Gottesgemeinschaft leben. Not und Tränen wird es nicht mehr geben. Unsere Freude wird vollkommen sein.

Das in Offenbarung 21, 1 mit »neu« wiedergegebene Wort bedeutet im Urtext »neu in der Art oder Ordnung« zum Unterschied zu neu im Sinne der Zeit. Petrus beschreibt die Neuschöpfung von Himmel und Erde so: »Kommen aber wird der Tag des Herrn wie ein Dieb; dann werden die Himmel mit Krachen vergehen, die Elemente aber in der Flammenglut sich auflösen, und die Erde wird mit allen Menschenwerken, die auf ihr sind, in Feuer aufgehen. Da nun dies alles sich so auflöst, wie muß es da bei euch mit einem heiligen Wandel und der Gottseligkeit bestellt sein, indem ihr auf die Ankunft des Tages Gottes wartet und euch darauf rüstet, um dessentwillen die Himmel im Feuer zergehen werden und die Elemente in der Flammenglut zerschmelzen! Wir erwarten aber nach seiner Verheißung einen neuen Himmel und eine neue Erde, in denen Gerechtigkeit wohnt« (2 Petrus 3, 10-13).

Das mit »Elemente« wiedergegebene Wort heißt im Urtext »Stoicheion«, das bedeutet das grundlegendste Element der Natur, der kleinste Baustein der Materie. Petrus sagt aber, daß diese Elemente zerschmelzen werden. Wörtlich heißt es im Originaltext »etwas lösen«. Das Wort wurde benutzt, wenn man vom Losmachen eines Taues oder einer Binde sprach (siehe Johannes 11, 44). Mit anderen Worten: Christus wird die kleinsten Bestandteile unseres Sternsystems »lösen«. Kein Wunder, daß es große Hitze und Flammenglut geben wird. Dann fügt Christus alles wieder zu einem neuen Himmel und einer neuen Erde zusammen; dort werden dann nur noch verklärte Menschen wohnen. Der menschliche Wille wird sich nicht mehr gegen Gott auflehnen. Gerechtigkeit, Harmonie, Friede, Sicherheit und Freude werden allenthalben regieren. Dort möchten wir leben!

Gehe hin, Daniel; denn die Worte sollen verschlossen und
versiegelt sein bis zur Zeit des Endes. Viele werden sich
reinigen und weiß machen und läutern, und die Gottlosen
werden gottlos handeln; und keiner der Gottlosen wird es
verstehen, die Verständigen aber werden es verstehen.

Gottes Wort an Daniel um 520 v. Chr.

KAPITEL 14

WAS MORGEN SEIN WIRD

Keiner der biblischen Propheten wurde so gewaltiger Offenbarung gewürdigt wie Daniel; viele seiner Gesichte und Weissagungen waren ihm selbst unverständlich. Viele handelten von der »Zeit des Endes«, bzw. von Ereignissen kurz vor dem zweiten Kommen des Messias zur Errichtung des Gottesreiches auf Erden.

Am Ende seines schriftlichen Berichts bringt Daniel seine Verwirrung darüber zum Ausdruck, wann und wie alles, was er vorausgesehen hatte, wohl geschehen werde. »Wie lange wird es noch dauern, bis diese wunderbaren Dinge eintreffen?« (Daniel 12, 6).

Ein Engel überbringt ihm die Antwort und spricht: »Wenn die Zerschmetterung der Kraft des heiligen Volkes vollbracht sein wird, dann werden all diese Dinge vollendet sein« (Daniel 12, 7).

Daniel sagt: »Ich hörte es, aber ich verstand es nicht.« Dann fragt er: »Mein Herr, wie wird dieses alles ausgehen?« (Daniel 12, 8).

Der Engel antwortet: »Gehe hin, Daniel; denn die

Worte [der Prophetie] sollen verschlossen und versiegelt sein bis zur Zeit des Endes!« (Daniel 12, 9).

Mit anderen Worten: Die Weissagung Daniels würde erst in der Endzeit klar verstanden werden, zu der Zeit also, wenn die vorausgesagten Ereignisse Gestalt anzunehmen beginnen.

Seit Beginn des 2. Jahrhunderts beschäftigte man sich in der Christenheit wenig mit der prophetischen Wahrheit. Erst Mitte des 19. Jahrhunderts erwachte ein neues Interesse an der biblischen Weissagung.

Heute besitzen die Christen nach ernsthaftem Studium der Prophetie unter der Leitung des Heiligen Geistes ein tieferes Verständnis für ihre Bedeutung als je zuvor. In unserer Generation wurde das prophetische Wort »entsiegelt«, wie es Gott verheißen hatte.

Bei den folgenden Äußerungen bin ich mir bewußt, daß ich mich damit in die Höhle des Löwen begebe. Vielleicht wäre es klüger, der Taktik Churchills zu folgen, der der Ansicht war, Prophezeiungen ließen sich immer dann am besten machen, wenn das Ereignis bereits eingetreten sei. Ich möchte es dennoch wagen, aufgrund sorgfältigen Studiums der prophetischen Schriften und vieler Veröffentlichungen von gläubigen Theologen einige Voraussagen zu machen, die meiner Ansicht nach auf sicherer Grundlage ruhen. Aber glauben Sie bitte nicht, ich hielte mich für unfehlbar in dem Sinne, wie es die biblischen Propheten unter der Inspiration des Heiligen Geistes waren. Ich glaube, Gott öffnet uns heute das Verständnis der Heiligen Schrift. Er schenkt uns jedoch keine unfehlbare Offenbarung wie den Verfassern der Bibel.

Ich sehe die Entwicklung der Ereignisse wie folgt: Werfen wir zunächst einen Blick auf die Kirchen. In ihnen wird es immer mehr Namenschristen geben. Immer mehr Kirchenführer werden von Theologen ins Schlepptau genommen, die die geschichtlichen Wahrheiten der Bibel zurückweisen und die grundlegende christliche Heilslehre in Frage stellen. Sogar die klaren und eindeutigen Worte Christi werden sie leugnen. In manchen der größten protestantischen Denominationen ist es heute schon soweit! Mit den wenigen noch verbleibenden Gemeinschaften, die noch nicht von Ungläubigen durchsetzt sind, wird es ähnlich bergab gehen.

Immer mehr Kirchengemeinschaften werden sich zu »religiösen Supergemeinschaften« zusammenschließen. Dies geschieht aus zwei Hauptgründen: Die meisten religiösen Gemeinschaften entstanden aus einem bestimmten Anliegen heraus. Ihre Gründer waren von einer bestimmten religiösen Wahrheit so sehr durchdrungen, daß sie eine Gemeinschaft von Gleichgesinnten ins Leben riefen. Sie glauben, in ihr ein christliches Leben entsprechend ihrer besonderen Erkenntnis am besten verwirklichen zu können. Da immer mehr religiöse Wahrheiten für den Glauben für unwesentlich erklärt werden, weil man von der biblischen Autorität nichts mehr hält, gibt es immer weniger Gründe, warum man nicht zusammengehen sollte. Sicherlich ist die Einheit ein kostbares Gut, aber niemals auf Kosten wesentlicher Heilswahrheiten.

Zweitens, in dem Maße, wie Theologen und Pastoren von der biblischen Wahrheit abweichen, verlieren sie die Vollmacht, echte Seelsorge zu betreiben; weil viele von ihnen außerdem keine wahre Wiedergeburt erlebt haben und ihnen deshalb die Erleuchtung des Heiligen Geistes fehlt, vermögen sie ihre Gemeinden nicht mehr zusammenzuhalten, geschweige denn Außenstehende anzuziehen. Deshalb greift man zu Tricks aller Art, um Leute anzulocken, so daß sich vielerorts die Kirchengemeinde in nichts mehr von irgendeinem Verein für Freizeitgestaltung unterscheidet.

Paulus hat schon damals über diese Leute sein Urteil gesprochen: »Bei alldem werden sie eine fromme Fassade [von Religion] bewahren, aber wo der Glaube dem Leben wirkliche Gestalt geben sollte, werden sie ihn abtun ... die immerfort von Bildung reden, religiöse Gespräche lieben und doch keine Aussicht haben, jemals die Wahrheit zu erkennen« (2. Timotheus 3, 5-7). Der Massenauszug der Jugend aus den Kirchen wird also anhalten. Viele von kirchlichen Stellen veröffentlichte Statistiken bestätigen das Bild. Die Jugend von heute hält nichts von einer unpersönlichen, bis ins einzelne gegliederten Organisation mit ihrem Akzent auf Wohlstand und prachtvollen Gebäuden. Bei Gesprächen mit vielen Jugendlichen habe ich immer wieder hören müssen, daß unsere Kirchen in ihren Augen all das widerspiegeln, was sie verachten: Materialismus, Heuchelei, Vorurteile.

Die jungen Menschen verlangen eine einfache, für sie persönlich gültige Antwort auf ihre Lebensfragen, die nicht auf dem Materialismus beruht, sondern auf dem wirklichen Leben und der selbstlosen Liebe. Wenn ihnen gezeigt wird, daß eine Verwirklichung ihres idealistischen Lebensbildes weder durch die verschiedenen Schattierungen wohlfahrtsstaatlicher Prinzipien noch durch den Sozialismus, noch durch eine Flucht aus der Wirklichkeit durch den Gebrauch von Drogen möglich ist, sondern nur durch eine persönliche Glaubensbeziehung zu Jesus Christus, und wenn man ihnen klarmacht, daß sie auch Christen sein können, ohne einer unserer alten Kirchengemeinschaften beizutreten (von denen sie ohnehin nicht viel halten), dann sind viele für die Heilsbotschaft offen und wagen den Schritt zum Glauben.

Einige Gemeinschaften haben es mittlerweile gelernt, wie sie bei der Jugend mit dem Evangelium ankommen können. Ihre Jugendarbeit blüht, aber sie bilden leider die Ausnahme. Die meisten Gemeinschaften senden auf der völlig falschen Wellenlänge. Manche haben die Wahrheit, vermögen aber nicht, an die Jugend heranzukommen. Andere lehren einfach nicht die Wahrheit, und wenn sie auch versuchen, bei der Jugend »anzukommen«, können sie dennoch nicht mit den radikalen politischen Organisationen konkurrieren.

Die Kluft zwischen den wahrhaft an Christus Glaubenden und denen, die sich nur als »Diener der Gerechtigkeit« ausgeben, wird immer tiefer. Ich glaube, daß es bald zur offenen Verfolgung der »echten« Christen kommen wird, und zwar von Seiten der mächtigen Hierarchie ungläubiger Kirchenführer in den verschiedenen Denominationen. Christen, die an die absolute Autorität der Bibel, an das alleinige Heil durch den stellvertretenden Sühnetod Christi und an die Gottheit Christi glauben, wird man bald als die Haupthindernisse auf dem Weg zur Verbrüderung der Menschheit und zur Verwirklichung der Lehre von der »universalen Vaterschaft Gottes« – beides Lieblingsideen der Ölumene – brandmarken und verfolgen. Jesus lehrte, daß Gott zwar der Schöpfer aller Dinge ist, aber Vater nur für diejenigen, die an Jesus glauben (Johannes 8, 47; Galater 3, 26).

Aufgrund der Verfolgung der Gläubigen wird eine regelrechte christliche Untergrundkirche entstehen.

Man beobachte die Bewegungen, die sich eine Vereinigung aller Christen zur Aufgabe gemacht haben. An ihrer Spitze stehen meist ungläubige Führer. Man beachte auch, wie diese Bewegungen immer mehr politisch ausgerichtet werden. Schließlich verfolge man die Entwicklung in Israel in bezug auf zunehmende Tendenzen, Jerusalem zum religiösen Mittelpunkt der Welt zu machen sowie die Bestrebungen zur Wiedererrichtung des jüdischen Tempels.

Beobachten wir den Nahen Osten, der immer mehr zum gefährlichen Krisenherd für die Welt wird! Die Furcht vor einem neuen Weltkrieg, der sich am Nahost-Konflikt entzünden könnte, wird immer größer werden. Schließlich wird das Nahost-Problem nahezu unlösbar erscheinen. Das wird dann der Zeitpunkt sein, da der Antichrist die politische Szene betritt.

Der Reichtum und Einfluß des Staates Israel wird ständig wachsen. Mit neuentwickelten Methoden wird er sich seine natürlichen Rohstoffquellen nutzbar machen und dadurch zu ungeahnter Blüte gelangen.

Die USA werden ihre gegenwärtige Führungsposition in der westlichen Welt verlieren; der zukünftige westliche Führer wird Westeuropa heißen. Die Schwächung der Vereinigten Staaten wird durch innere wirtschaftliche und soziale Schwierigkeiten beschleunigt. Bricht erst einmal die Wirtschaft zusammen, ist auch die militärische Stärke am Ende.

Aus Gründen der Selbstbehauptung wird Westeuropa gezwungen sein, sich zusammenzuschließen und wird zum Bannerträger des freien Westens werden. Man achte auf die Bestrebungen zur Bildung eines europäischen Staatengebildes, das aus einem inneren Kern von 10 Mitgliedsstaaten besteht. Der Gemeinsame Markt leistet die Vorarbeit und bildet die Grundlage für diesen politischen Zusammenschluß, der einmal der mächtigste Staatenbund in der Welt sein wird. Er wird dem kommunistischen Machtstreben in der Welt Einhalt gebieten und eine kurze Zeit sogar Rußland und Rotchina unter Kontrolle haben. Der Führer des Zehnstaatenbundes, der Antichrist, wird all dies durch seine überaus große politische Klugheit zustande bringen.

Man beachte die Entwicklung des Papsttums, das sich noch mehr als bisher in der Politik betätigen wird, besonders was Friedensbestrebungen und die Schaffung eines weltweiten wirtschaftlichen Wohlstandes anbetrifft.

Man achte auf die wachsende Sehnsucht in der Welt nach einem mächtigen Mann, der die Welt befrieden könnte.

Diese Sehnsucht nach einem Friedensbringer wird ihren Höhepunkt erreichen, wenn es irgendwo in der Welt zum begrenzten Einsatz von Nuklearwaffen kommen wird. Dadurch wird der Abscheu vor den Schrecken des Krieges so groß, daß man den Antichristen mit seinen Friedensvorschlägen stürmisch begrüßen wird.

Auf der gesellschaftlichen Ebene

Man achte auf die gegenwärtigen gesellschaftlichen Probleme wie Verbrechen, Aufruhr, Arbeitslosigkeit, Armut, Analphabetentum, Geisteskrankheiten, Unmoral – alles Mißstände, die gegen Ende der Siebziger Jahre mit Beginn der Bevölkerungsexplosion rapide zunehmen werden.

Man achte auf den Beginn der größten Hungersnot in der Geschichte der Menschheit.

Man achte auf die weitere Zunahme des Mißbrauchs von Rauschgiften aller Art in den Ländern des Westens. Drogensüchtige werden sich um hohe politische Ämter bewerben und mit Hilfe der jungen Wählerschichten den Wettlauf um die Macht gewinnen.

Man beachte, wie sich Drogengebrauch und gewisse Formen der Religion mischen. Der Glaube an übersinnliche Phänomene, wie sie sich im Spiritismus und ähnlich gearteten, satanisch geprägten Bewegungen finden, wird weiter zunehmen. Die Astrologie, Zauberei und die orientalischen Religionen werden in der westlichen Welt überhandnehmen.

Wohin geht die Reise?

Gott sammelt seine Gemeinde. Trotz der Bedrängnisse der Gegenwart und der noch kommenden Drangsale führt Jesus Christus überall in der Welt Menschen zu seiner Gemeinde. Wenn die Vollzahl erreicht ist, wird er die Seinen entrücken.

Was sollen wir persönlich angesichts des Kommenden tun? Sie sollten, wenn Sie nicht ganz sicher wissen, daß Gott Ihre Schuld vergeben hat – daß Sie ein Kind Gottes sind, das nichts zu fürchten hat –, diesen Augenblick nutzen und eine klare persönliche Entscheidung für Jesus Christus treffen. Bitten Sie Gott, Ihnen durch den Opfertod seines Sohnes Jesus Christus am Kreuz Ihre Sünden zu vergeben, und übergeben Sie Jesus Ihr Leben. Vielleicht sind Sie bekümmert, daß Sie nicht alles genau verstehen, oder Sie denken, es fehle Ihnen am starken Glauben. Lassen Sie sich durch solche Gedanken nicht zurückhalten. Sie brauchen nur zu verstehen, daß Gott Ihnen durch Jesus Christus volle Sündenvergebung schenken und ein neues geistliches Leben anbieten will. Wenn Sie wirklich den Wunsch in sich verspüren, Jesus Christus zum Herrn Ihres Lebens zu machen, dann ist Ihr Glaube groß genug, in die Familie Gottes aufgenommen zu werden, das heißt ein Kind Gottes zu werden.

Jesus gebrauchte für diesen Vorgang ein sehr anschauliches Bild: Er sagte: »Siehe, ich stehe vor der Tür und klopfe an; wenn jemand meine Stimme hört und die Tür auftut, so werde ich bei ihm eintreten und das Mahl mit ihm halten und er mit mir« (Offenbarung 3, 20).

Danken Sie Jesus mit Ihren eigenen Worten dafür,

daß er für Ihre Sünden gestorben ist, und bitten Sie ihn, in Ihr Leben zu kommen. Die Tür im obigen Bibelwort ist Ihr Wunsch und persönlicher Wille. Sie öffnen die Tür, indem Sie Jesus die Herrschaft in Ihrem Leben einräumen.

Haben Sie den Schritt getan? Wo ist dann Jesus? Gemäß seiner Verheißung (und er kann nicht lügen) wohnt er in Ihrem Herzen!

Jesus hat ferner versprochen: »Ich will dir nimmermehr meine Hilfe versagen und dich nicht verlassen« (Hebräer 13, 5).

Er ist in Ihr Herz gekommen, um nie mehr wegzugehen. Er schenkt Ihnen Herzensfrieden, Ausgeglichenheit, einen neuen Lebenssinn und ewiges Leben.

Zweitens, wenn Sie Jesus in Ihr Leben aufgenommen haben, möchte er Ihren Willen in den Seinen umgestalten, Ihnen die Kraft geben, ein Leben für Gott zu führen. Gott verlangt von uns nicht, daß wir unser Leben selbst in Ordnung bringen, sondern nur, daß wir für seinen Heiligen Geist offen sind, der jetzt persönlich in uns wohnt.

In dem Maße, wie wir bei der Überwindung von Versuchungen nichts aus eigener Kraft tun wollen, sondern uns ganz auf ihn verlassen und nur seinem Willen gehorsam sind, schafft er in uns eine Gerechtigkeit, deren besonderes Merkmal die selbstlose Liebe zu Gott und zum Mitmenschen ist. Je mehr wir die Liebe Gottes zu uns erkennen, desto mehr möchten wir ihm gefallen, und desto größer wird unser Vertauen zu ihm. Wir möchten sein Wort immer besser kennenlernen, um uns immer mehr nach seinem Willen ausrichten zu lassen.

Bitten Sie beim Bibelstudium Gott um die rechte Erleuchtung, und er wird Ihr Gebet erhören.

Drittens, weit davon entfernt, das Leben mit pessimistischen Augen anzusehen, sollten wir uns freuen in dem

Wissen, daß Jesus in jedem Augenblick kommen kann, um uns zu sich zu nehmen. Das sollte uns Antrieb sein, die Frohe Botschaft von der Erlösung möglichst weit bekanntzumachen. Der Heilige Geist wird Sie mit Menschen zusammenbringen, die offen für das Evangelium sind.

Viertens, vertrauen wir ganz auf den Herrn Jesus, daß er in uns ein Leben der Gerechtigkeit wirkt. Unser Vertrauen wächst mit der Zeit; werden wir deshalb nicht mutlos, und vergessen wir nicht, daß uns Gott so annimmt, wie wir sind. Er möchte vor allem, daß wir immerfort bestrebt sind, ihm zu gefallen. Johannes beschreibt das so: »Erkennet wohl, welche große Liebe uns der Vater dadurch erwiesen hat, daß wir Kinder Gottes heißen sollen, und wir sind es auch. Deshalb erkennt die Welt uns nicht, weil sie ihn nicht erkannt hat. Geliebte, schon jetzt sind wir Kinder Gottes, und es ist noch nicht offenbart worden, was wir dereinst sein werden. Wir wissen jedoch, daß, wenn er [Jesus] erscheint, wir ihm gleich sein werden; denn wir werden ihn sehen, wie er ist. Und jeder, der diese Hoffnung zu ihm hat, reinigt sich, gleichwie auch er rein ist« (1. Johannes 3, 1-3).

Fünftens, wir sollen unser Leben so planen, als hätten wir ein langes Leben hier auf Erden vor uns, es andererseits aber so gestalten, als käme Jesus noch heute. Wir sollen nicht die Schule oder die Arbeit vernachlässigen oder möglichst schnell heiraten wollen, weil wir glauben, Jesus Christus komme bald – es sei denn, wir erhalten eine klare Weisung vom Herrn. Machen wir das Beste aus unserer uns zur Verfügung stehenden Zeit!

Am Ende eines der wichtigsten Bibelabschnitte über die Entrückung, im 1. Korintherbrief, gibt uns der Apostel Paulus folgenden Rat, der gleichzeitig eine Verheißung enthält: »Daher, meine geliebten Brüder, werdet fest, unerschütterlich und beteiligt euch allezeit eifrig am Werk des Herrn; ihr wißt ja, daß eure Arbeit nicht vergeblich ist im Herrn« (1. Korinther 15, 58).

In unserer chaotischen Welt dürfen wir »fest« und »unerschütterlich« bleiben, weil wir wissen, was auf uns zukommt und was uns erwartet. Wir wissen, daß wir hier auf Erden immer unter dem Schutz Jesu stehen, bis er uns einmal ganz zu sich nimmt.

Wir können uns »eifrig am Werk des Herrn beteiligen«, weil wir auf sein Wirken in uns vertrauen und wissen, daß unsere Arbeit nicht umsonst ist, denn Gott wird uns in der Ewigkeit jedes Werk des Glaubens lohnen. So wollen wir mit seiner Hilfe die Frohe Botschaft in unsere Familien, zu unseren Freunden und Bekannten bringen. Die Zeit ist kurz.

In den ersten Jahrhunderten hatten die Christen ein Grußwort. Es hieß Maranatha! Es bedeutet soviel wie »Der Herr kommt bald!« Es soll nun auch unser Abschiedsgruß sein. – *Maranatha! Der Herr kommt bald!*

INHALT